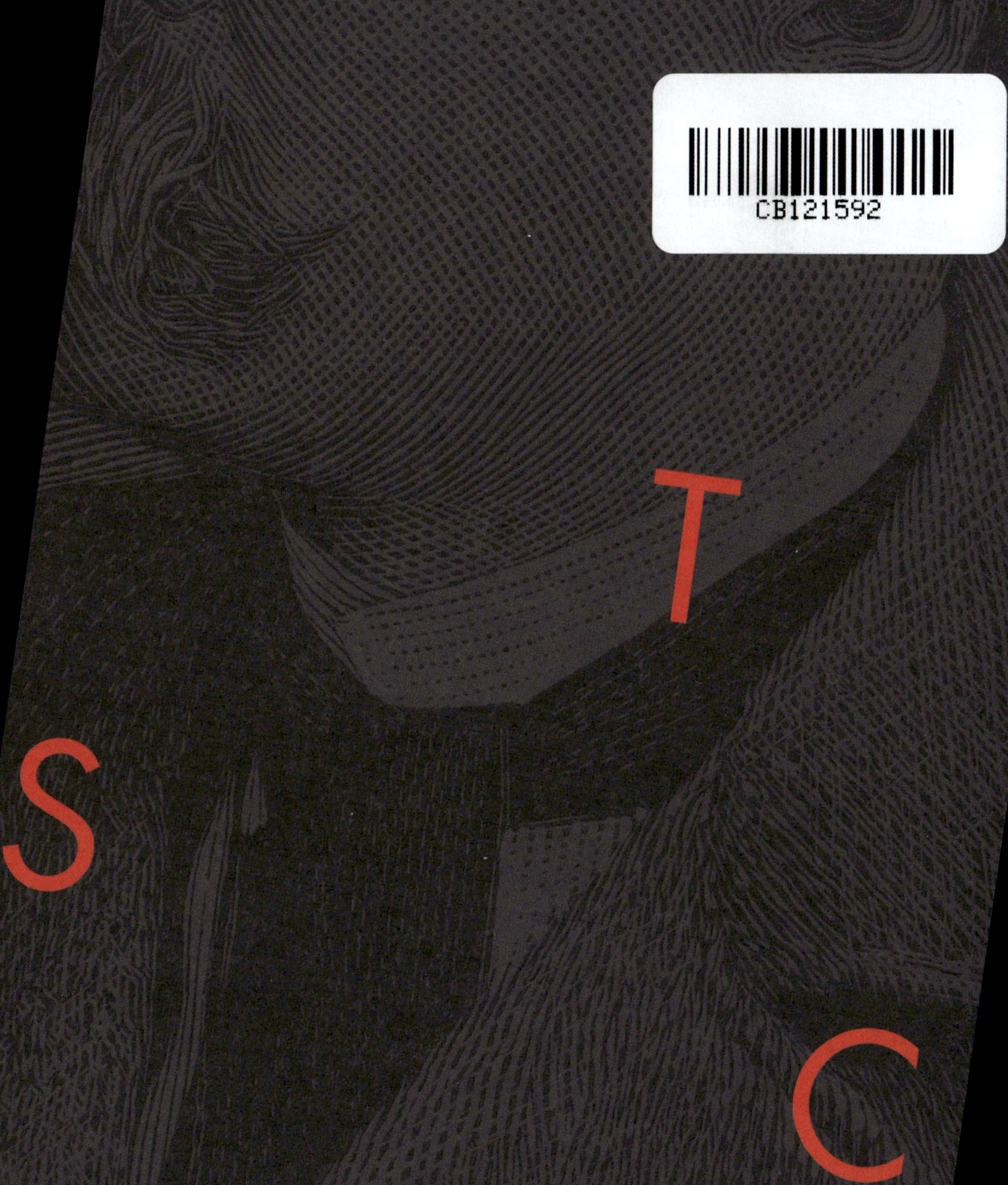
T
S
C

ecce

homo

tradução
Lourival de
Queiroz Henkel

introdução
Afonso Bertagnoli

Como
cheguei
a ser o
que sou

EDITORA
NOVA
FRONTEIRA

Friedrich
Nietzsche

# ecce homo

Editora Nova Fronteira Participações S.A.
Rua Candelária, 60 — 7º andar — 20091-020
Rio de Janeiro — RJ — Brasil
Tel.: (21) 3882-8200 – Fax: (21)3882-8212/8313

CIP-Brasil. Catalogação na publicação
Sindicato Nacional dos Editores de Livros, RJ

N581e Nietzsche, Friedrich, 1844-1900
Ecce homo: como cheguei a ser o que sou / Friedrich Nietzsche; tradução Lourival de Queiroz Henkel introdução Afonso Bertagnoli – Edição especial. – Rio de Janeiro: Nova Fronteira, 2016.
144 p. (Boxe grandes obras de Nietzsche)

Tradução de: Ecce homo
ISBN 9788520929759

1. Nietzsche, Friedrich Wilhelm, 1844-1900. 2. Filósofos – Alemanha – Biografia. I. Henkel, Queiroz. II. Título. III. Série.

CDD: 921.3
CDU: 929:1(430)

# Sumário

# Introdução

Foi a 15 de outubro de 1888, após a admirável fase de produção de que saíram *O caso Wagner*, *Crepúsculo dos ídolos*, *Ditirambos dionisíacos*, *O anticristo* e *Nietzsche contra Wagner*, que o criador do Zaratustra tomou da pena para escrever o *Ecce homo*.

Teve como derradeira preocupação intelectual narrar a gestação de toda a sua obra, livro por livro. Parecia que alguma coisa lhe falava ao recôndito: o filósofo sentia uma necessidade incoercível de contar ao público as passadas do seu "*curriculum vitae*", antes de embrenhar-se na eterna noite do espírito. Três semanas após, a 4 de novembro de 1888, estava o livro terminado.

Cuidou Nietzsche da impressão imediata, com anseio que nunca experimentara em relação a qualquer dos seus escritos. É que essa confissão vale também como um desabafo. Através dela podemos conhecer intimamente a personalidade do "imoralista", sem as lendas que falseiam a realidade em sua plenitude.

Aqui e acolá, nota-se, ao lado de lampejos geniais, a inconsistência da loucura. Todavia é o livro que melhor se enquadra como pórtico de toda a sua obra. As expressões nele vasadas são dignas do anunciador do Super-Homem, perfazendo cenas lancinantes dessa tragédia da agonia de um grande espírito.

A 3 de janeiro de 1889, Friedrich Nietzsche enlouquecia ab-ruptamente, em uma rua de Turim, sob o céu da sua doce Itália, vagando desconhecido entre a multidão indiferente que passava...

O pensador das alturas se projetava na voragem insondável de noite eterna. Quiçá uma satisfação íntima dominou os últimos instantes da sua vida intelectual: a de ter encerrado o ciclo da obra prodigiosa com um livro, admirável em síntese, que é o retrospecto de sua alma criadora. Esta obra é o *Ecce homo*, testamento que contém, a um tempo, exaltações e desânimos, valendo como esplendente espelho de uma vida genial e gloriosa. O Super-Homem do futuro voltava as vistas ao passado, analisando friamente todas as suas atitudes.

Percorrendo estas páginas notamos o *frisson* de um declínio em que a mania de grandeza se enquadra à ufania do anunciador do homem novo. Na última carta, dirigida a sua mãe, dizia: "O teu velho rebento é agora um animal enormemente célebre, embora não o seja, é claro, na Alemanha, cujos habitantes são demasiado estúpidos e vulgares ante a altura de meu espírito." Sente-se satisfeito do seu renome internacional, que vai de S. Petersburgo a Paris, de Viena a Estocolmo, projetando-se a Nova York: "Não há nome que atualmente se pronuncie com mais admiração e veneração que o meu." É a última satisfação consciente, até a morte, que lhe sobreveio em Weimar, a 25 de agosto de 1900.

* * *

A filosofia definitiva de Nietzsche, a que vai de 1881 a 1888, transborda de lirismo, realçando-se pelo seu caráter afirmativo. Aprazia-lhe ser o poeta desse novo mundo. O seu último canto é admirável, soando como profética aquela estrofe: "Eu vejo um signo: das extremas imensidades uma constelação reflui, lenta e esplendente, para mim..." Era o sublime firmamento do Ser, repositório de visões eternas.

O *Ecce homo* é confissão soberba, mas não oculta a fraqueza do grande forjador de parábolas. Envaidecia-lhe o título com que se batizara de inventor do ditirambo. Realmente, a sua ufania se justifica, podendo ir bem além. Nietzsche falou uma linguagem nova, toda sua; o idioma de Lutero nunca encontrou tanta força de expressão, nem mesmo em Goethe ou em Heine. O Super-Homem, nesse particular, pode dar largas à sua expansão. A palavra de Zaratustra tem uma harmonia incomparável, superior às louçanias bíblicas mais arrebatadoras. Fica-lhe a dever o persa do Zend'Avesta; em recursos de dialética, o "imoralista" tem articulações que valem pelo seu extraordinário ineditismo. É uma festa feérica.

A moral utilitária e a moral cristã de renúncia se entrechocam a cada passo nas páginas nietzschenianas, envolvendo e engastando os paradoxos mais sutis. Raras vezes passamos tão estranhamente de uma impressão a outra como nos seus aforismos, lanterna mágica que ostenta as maiores fulgurações aladínicas. O grande mago fez bem em fantasiar-se em oriental d'*As mil e uma noites*, porque nunca os nossos olhos viram pedras preciosas mais refulgentes do que as que estão encerradas nesses escrínios que são, além do *Zaratustra*, o *Humano, demasiado humano, O andarilho e sua sombra*, *A gaia ciência*, *Aurora*, *Além do bem e do mal* e o *Crepúsculo dos ídolos*.

Armado com o pensamento e com a ação, vemo-lo investir resolutamente contra os preconceitos arraigados na alma das multidões, procurando criar novos valores. Serão estes apenas fantasmas? Difícil pergunta de responder-se; mas para ele não existem leis morais confinadas em dogmas ou deveres absolutos: a alegria ou a dor, a ilusão ou a verdade, as paixões boas ou más — tudo isso se concretiza na exaltação de sua energia, tornando a vida mais vária, possante e bela.

Depara-se-nos constantemente animado por uma cândida alegria, redobrada de exaltação quase infantil. São talvez os vagidos do "homem novo" nas suas articulações iniciais; e isso é humano, bem humano...

O Super-Homem, na plenitude de sua titânica glorificação, deixa entrever inclemente satirização da sociedade moderna. Em todas as expressões concludentes de Zaratustra temos presente uma visão seródia do Ocidente em declínio. Ruem, um a um, os edifícios cujos alicerces já não podem sustentar a mole dos convencionalismos obsoletos, que se multiplicam indefinidamente, como todos os flagelos. Nietzsche ri de tudo isso... Os autotorturadores perdem o melhor de seu tempo em tatuar-se com dragões desengonçados, lustrando-se com o batizar de "ismos" inconsistentes.

Aproxima-se a fase do Super-Homem, anunciada pelo grande destruidor. Que se aproveitará do que existe? Qual a alavanca locomotora disso tudo?

"Emblema da necessidade! Cenário de visões eternas! — bem sabes o que todos odeiam, aquilo que *só eu* amo; como és eterna, como és *necessária*! O meu amor ascente impulsionado somente pela Necessidade."

Devemos reportar o nosso juízo às recordações pessoais da dra. Elisabeth Förster-Nietzsche para saber quanto o filósofo impenitente odiava a equiparação democrática, signo de decadência: "O rebaixamento dos níveis mais altos a favor dos mais baixos não era tido por ele como um levantamento dos níveis baixos, mas sim como um decréscimo ainda maior destes." É conclusiva a sua afirmativa acerca da missão do douto diante das massas: "Viva-se como se entender, precederemos eternamente à massa na qualidade de dirigentes; a massa se eleva ou se corrompe na proporção que nos elevamos ou nos corrompemos."

* * *

A tentativa de Nietzsche para afastar dos preconceitos sociais modernos a maior parte da falsa moral desgastou o seu espírito. Os "escravos" tanto se afeiçoam a esse servilismo que tomam por bondade o que não passa de fraqueza. A sujeição passiva tem o nome de obediência; a miséria é uma distinção. Glorifica-se a impotência, a renúncia. Abjeção!

Entretanto, há quem atribua à própria fraqueza toda a filosofia do grande destruidor. Dominado pela moléstia que o conduziria à loucura, Nietzsche invejava os fortes. Colocando-se fora da esfera dos privilegiados, possuía a consciência da sua inferioridade. O que vive os lances conclusivos de uma trajetória dinâmica não encontra tempo e disposição para louvar-se a si próprio; é como que um inconsciente rodopiando na voragem do próprio sonho. Situando-se fora, a visão do observador encerra um conjunto panorâmico soberbo. O criador de Zaratustra, porém, via na sua contemplação aquilo que para o seu desejo fragmentado representava a utopia, o inatingível; o cansaço mal se esconde na sua fraseologia soberba, tesouro de inflexões golcôndicas.

O Super-Homem não deve ser confrontado com a individualidade do seu criador. Admirável credo de potência, versicula o evangelho do homem do porvir. Nietzsche tinha aspirações que se não continham no seu organismo lasso: "Nós, homens novos, inominados, temos necessidade de um escopo novo, uma nova saúde, mais lépida, aguda, tenaz, ousada e silente do que qualquer outra saúde." O filósofo possuía a obsessão do mal que o dominava. Via tudo através desse prisma. Escultor do sonho, deu-nos as alíneas da carta de fé do homem novo.

Foi uma tragédia a gestação de sua obra: "De todo o escrito amo somente o que o homem retintou com o próprio sangue. Escreve com sangue e aprenderás que o sangue é espírito." Todo o seu esforço, porém, se concentrou em ocultar a própria fraqueza. No *Ecce homo* temos a sua confissão. Talvez o pensador não se sentisse feliz se pudesse aquilatar, mais tarde, pacientemente, das consequências que poderiam ter sobre a sua individualidade nesses períodos vertidos em meio da agonia do espírito... Turvou-se-lhe, porém, o entendimento. Nunca foi Nietzsche tão coerente consigo mesmo como nestas páginas. É a apoteose da loucura com soberbos repentes de serenidade. Impressionam esses contrastes. A sua autoexaltação tem uma relativa razão de ser; o filósofo possuía a consciência do próprio valor.

Vê-se como lhe causou incontida satisfação o admirável ensaio de Brandés, a mais conclusiva de todas as análises críticas sobre a sua obra, então ainda pouco conhecida, pedra basilar de toda a exegese nietzscheniana.

O homem que ensinava ao coração humano uma vontade nova pedia que fôssemos a nossa própria estrela, a nossa única lei e os vingadores dessa lei; queria que todo o espírito e toda a virtude inflamassem até a agonia, como o fogo do crepúsculo incendeia a terra. Foi-lhe, porém, avaro o destino. Mergulhado nas trevas do atro inconsciente, não teve mais aspirações, não almejou o porvir tão fortemente anunciado; apenas uma vez — di-lo a sua irmã Elisabeth, o mais estupendo dos exemplos de dedicação fraterna —, só de uma feita, entre marejar de lágrimas, articulou estas palavras: "Fomos tão felizes, não fomos?!" Era o passado...

A vontade de poder (*Wille zur Macht*) resume todo o escopo da vida; mas a luta não se desencadeia para a vida; é a potencialidade que a congloba, ensimesmando-a. Toda energia deve repontar do corpo, simples repositório da vida, que não é somente a conservação do indivíduo, mas também a sua reprodução, valendo como agente a vontade. Mede-se a importância de uma progressão pela soma de sacrifícios por ela exigidos. O espírito devia estar perpetuamente livre.

Nota-se em sua obra uma prodigiosa sucessão de entusiasmos e de negações, o que se enquadra no seu sistema, porquanto a coragem e a sinceridade dessas atitudes, mesmo quando contraditórias, assentam na vontade de poder.

* * *

Nietzsche é a inteligência militante; exalta turvamente as visões claras. No *Ecce homo* temos o retrato extremo do grande demolidor. O abuso da energia intelectual encontrava uma barreira intransponível na fragilidade de sua carcaça. A loucura, o estupor final dizem quem venceu; mas a obra aí está, monumento granítico, perene, revelador dos voos condoreiros do intelecto mais livre de um século a esta parte.

Sacudidor da velha árvore dos convencionalismos, comprazia-se em ver levados ao vento os sarmentos secos, consciente de que os frutos não mais se esborrachariam de encontro ao chão, porque a esterilidade nada sazona; quantas teorias newtonianas perdidas para os "sábios" hodiernos!...

Foi-lhe fácil a empreitada? Talvez sim e quiçá não. A sua loucura, se algo prova, é a favor do filósofo. Sem aquela longa trajetória de uma enfermidade que o lançaria na morte após uma atrofia mental de mais de dez anos, teríamos apenas um sofrível professor, como são todos os professores; não aprenderíamos com ele a demolir as antigas metafísicas, edificadas sobre a abstração.

As suas ideias são liberais na plenitude da palavra. Em todas essas passadas descobrimos algo de novo; a lógica do criador de Zaratustra aligera o espírito, dando ao intelecto uma facilidade de compreensão admirável. Os indivíduos extremamente sensíveis, que têm necessidade de crenças consoladoras, não devem mergulhar o espírito na análise de sua obra; Nietzsche é o filósofo dos fortes e não dos débeis, daqueles que têm necessidade de sorver as mezinhas do velho dogmatismo para iludir a razão com a miragem de um bem que se lhes afigura eterno.

Os devotos da consciência moral devem fugir desse filósofo, que se tinha em conta de um novo Cristo, salvador do mundo do Super-Homem, anunciado pelo seu evangelho sublime. Esse messias é o apóstolo da própria doutrina. Ante o homem, afirmava a nova arrebatadora, as fulgurações de sua visão radiosa. "Há — como diz Stirner — duas verdades: a *minha* e a tua, meu irmão."

Tem sido hábito do filosofismo catedrático depreciar o grande mestre em sua obra. Reconhecem-no como pensador, como poeta, como escritor, como profeta, mas desprezam-no ou fingem desprezá-lo como criador de valores. Quanto aos alemães, após a leitura do *Ecce homo*, veremos que há razões dessa atitude; quanto aos demais, é questão de tempo. O cristianismo, para afirmar-se, também levou séculos...

As antigas pedras angulares da filosofia clássica sofreram sério abalo com o surgimento de Nietzsche; os poucos e verdadeiros pensadores que depois dele apareceram são unânimes em confessá-lo.

Que somos nós para Nietzsche: "O homem é um animal capaz de formular e de manter promessas."

Na faculdade de prometer alguma coisa, de assumir uma responsabilidade há para o criador de Zaratustra nobreza verdadeira, pressupondo-se que essa faculdade de se empenhar dá ao homem o domínio diante das circunstâncias exteriores e sobre as outras criaturas, cuja vontade não encerra a persistência da sua. Por isso, denomina ele "consciência" o conhecimento que possui desta responsabilidade.

Defendendo a alegria de dominar, enfastia-se da vulgaridade e faz a apologia da força. Não há justiça ou injustiça por si mesma; o direito sempre será um estado de exceção, uma restrição imposta ao instinto essencialmente vital, cujo escopo é a faculdade de poder.

Para ele, o castigo apenas torna insensível e rude o homem que, pela ação justiceira, é tolhido na faculdade de considerar a sua conduta como má diante da sociedade; a redenção do erro é uma virtude, mesmo quando inconsciente. O remorso é o estado profundamente doentio que se apossou do homem sob a pressão da mutação mais profunda que porventura haja experimentado e que se completou quando — ao sentido histórico — se viu definitivamente enclausurado na sociedade pacificada. O espírito de iniciativa, a temeridade, a astúcia, a avidez, o anseio dominador — todos esses instintos selvagens e fortes, que até então eram não apenas tolerados, mas francamente encorajados, foram ab-ruptamente tidos em conta de perniciosos e pouco a pouco estigmatizados, como imorais e criminosos.

No âmbito deste antelóquio não podemos discorrer como quiséramos sobre a moral do "imoralista", sendo-nos impossível coser todas as inflexões que se nos deparam ao espírito.

Sobre a sua obra melhor falará o *Ecce homo*, sendo todavia necessário levar em conta, na leitura, o estado de ânimo do grande pensador. Há períodos neste livro que são um índice preciso de envolvente loucura, caracterizada em fase inicial, valendo como extraordinário documento de morbidez psicológica incontrolável. É o ocaso do amador de crepúsculos.

O "desumanizador" da natureza podia, enfim, repousar; a ideia do "eterno regresso" encontrava uma forma afirmativa do anunciador de Zaratustra. Tudo passou a ser repetição nessa noite azeviche do espírito. Talvez, nos raros momentos de lucidez, voltejava em seu recôndito aquele verso rebrilhante de genialidade, consagrado no momento extremo, em fecho do seu canto "Glória e Eternidade", à sublime constelação do Ser: "Eu sou eternamente a tua afirmação, *porque te amo, ó Eternidade*!"

Era o resquício da derradeira manifestação na *vontade de poder*...

*Afonso Bertagnoli*

# PREFÁCIO

1

Na previsão de que dentro de pouco tempo me veja obrigado a impor à humanidade a mais dura exigência que até agora se lhe impôs, creio indispensável dizer-lhe antes QUEM SOU EU.

Na realidade pouca falta faria esta explicação, porque tenho dado testemunhos de sobejo acerca de minha personalidade.

Entretanto, a desproporção entre a grandeza de minha alma e a PEQUENEZ dos meus contemporâneos se evidenciou no fato de que não fui ouvido, nem sequer compreendido.

Vivo de mim mesmo, de minha própria crença, apesar da afirmação de que vivo não ser, talvez, senão um mero preconceito. Basta que eu fale com um homem "cultivado" qualquer, que tenha vindo veranear na Alta Engadina, para convencer-me de que NÃO vivo.

Assim, pois, há um dever imperioso contra o qual se revolta até no íntimo o hábito e, mais ainda, o orgulho dos meus instintos. Consiste este dever em proclamar:

— Ouvi-me! EU SOU ALGUÉM E, SOBRETUDO, NÃO ME CONFUNDAIS COM QUALQUER OUTRO.

2

Sem ser, por exemplo, uma espécie de monstrengo, uma sentina de imoralidade, sou o contrário (por temperamento) dessa classe de indivíduos que até agora continua sendo venerada como modelo de virtude. Orgulho-me de seguir as doutrinas do filósofo Dionísos e preferiria mil vezes mais ser considerado como um sátiro do que como um santo. Por isso, quero que todo o mundo leia este livro; talvez não foi outra a minha intenção ao escrevê-lo e, quiçá, não tenha conseguido exprimir tal contraste de modo benévolo e sereno.

A última coisa que EU prometeria seria esta: "melhorar" a humanidade. Não pretendo exigir novos ídolos; basta-me que os antigos aprendam comigo o que significa ter pés de barro.

DERRUBAR ídolos — e ao dizer ídolo suponho toda classe de ideais — toca mais de perto os meus anelos íntimos. Dizer-se que a realidade foi a tal ponto privada do seu valor, do seu significado, da sua sinceridade, quando chocarreiramente se inventou um mundo IDEAL... O "verdadeiro mundo" e o "mundo aparente" teriam, no idioma alemão, a seguinte significação: o mundo inventado e a Realidade...

A MENTIRA do Ideal foi até agora a maldição da Realidade; a própria humanidade, nesse ponto, foi mascarada e falseada até nos seus mais íntimos, até na adoração dos valores OPOSTOS àqueles que só poderiam garantir o seu florescimento, o futuro e o ALTO DIREITO ao porvir.

## 3

Quem souber respirar o ar que circula nos meus escritos saberá o que seja a atmosfera das grandes alturas, onde o ar é mais puro e mais arrebatador. É necessário ser dotado duma constituição orgânica toda especial para respirar esse oxigênio.

O gelo circunda-o; grande é a solidão — mas como repousam tranquilas as coisas em meio da luz! Vede como o peito respira amplamente e como são insignificantes todas as criações humanas que sentimos DEBAIXO de nós!

A filosofia, no sentido em que até agora me foi dado interpretá-la e vivê-la, é vida livre entre os gelos, no cume das montanhas; é a pesquisa de tudo aquilo que há de estranho e de enigmático na existência, de tudo o que até agora escapava ao âmbito da moral. Por uma longa experiência adquirida neste divagar POR TERRITÓRIO PROIBIDO, aprendi a considerar as razões pelas quais se fez a moral e o idealismo, de modo bem diverso daquele que se poderia desejar; dessa forma me foi dado descobrir a história ÍNTIMA dos filósofos e a psicologia dos seus grandes nomes, que a integram e a ilustram.

Quanta verdade SUPORTA, de quanta verdade é CAPAZ um espírito? — foi esta para mim, cada vez mais, a medida exata dos valores. O erro — a fé no ideal — não é cegueira; o erro é COVARDIA... Toda conquista, todo passo articulado no domínio do conhecimento é UMA CONSEQUÊNCIA DIRETA da coragem, da autocrueldade implacável e da intransigência pessoal. Portanto, eu não confuto nenhum ideal; conformo-me em jogar as luvas aos seus pés.

*NITIMUR IN VETITUM*: sob esse lema triunfará um dia a minha filosofia, porque até agora foi proibido, em princípio, tudo o que seja a verdade.

4

Dentre toda a minha obra, *ZARATUSTRA* ocupa um lugar predileto. Com ele eu fiz à humanidade o mais valioso dos presentes que lhe seria dado fazer.

Esse livro, cuja voz triunfa e se propagará através dos séculos, não é somente o livro mais elevado que existe, o livro das culminâncias — todo o fenômeno "Homem" jaz a imensa distância DEBAIXO dele —; é também o livro mais PROFUNDO que haja surgido do seio mais íntimo da Verdade; é um poço inesgotável, no qual não desce nenhum balde que não ascenda transbordante de ouro e de bondade.

Não há nele a voz de "um profeta", um desses seres híbridos, conglobado de enfermidades, um desses horríveis hermafroditas, cabeçudos, aos quais chamamos fundadores de religiões. Sobretudo é necessário SABER ENTENDER o tom que expele esta boca — tom alciônico —, para não fazer mísera injustiça ao sentido da sua sabedoria. "As palavras mais ponderadas são as que trazem a tempestade; os pensamentos que vêm com pés alígeros de pomba governam o mundo."

Os figos que caem da árvore são doces e bons; e, quando caem, arrebenta-se a sua pele avermelhada. Eu sou o vento do Levante que sacode e derruba os figos amadurecidos. Como figos, os meus ensinamentos caem entre vós, ó! meus amigos; gozai agora do seu suco e da sua doce polpa! O outono nos circunda, o céu é severo, e a hora é a da tarde.

Quem fala não é um fanático; aqui não se "prega", aqui não se exige FÉ: de uma imensidade de luz, de uma profundidade de alegria infinita caem a gota sobre a gota, a palavra sobre a palavra; o tema lentidão é o "tempo" que regula estas palavras. Só os mais escolhidos chegam a tanto; não é pequeno o privilégio de poder ficar a escutá-lo;

nem todos podem compreender Zaratustra... Zaratustra não é porventura um sedutor? Que diz ele quando regressa pela primeira vez à sua solidão? Precisamente o oposto daquilo que diria em semelhante como um "Sábio", um "Santo", um "Redentor" ou qualquer outro decadente... Não fala diversamente; também é diferente!

Agora, eu irei sozinho: ó meus discípulos! ide também vós, e sozinhos! Assim o quero.

Ide para longe de mim e defendei-vos de Zaratustra! Melhor ainda; envergonhai-vos dele! Talvez ele vos enganou...

O homem que se inclina à consciência não só deve poder amar os seus inimigos, como também deve poder odiar os seus amigos.

Recomenda-se mal um mestre se ficamos sempre apenas discípulos. Por que não arrancais folhas da minha coroa?

Eu sou venerado por vós: mas que seria de vós se o objeto da vossa veneração algum dia desmoronasse? Cuidado: não vos deixeis esmagar por uma estátua.

Deveis ter fé em Zaratustra? Mas que importa Zaratustra! Sois os meus crentes? Mas que importam todos os crentes do mundo?!

Não tínheis ainda procurado vós mesmos; então, encontrásteis a mim. Assim acontece com todos os crentes; por isso, a fé tem um valor tão insignificante...

E, agora, eu vos ordeno que vos percais de mim, encontrando vós mesmos; e somente então, QUANDO TODOS VÓS ME TENHAIS RENEGADO, retomarei ao meio de vós...

*Friedrich Nietzsche*

Nesse dia perfeito em que tudo se sazona não é somente a uva que se doura... um raio de sol caiu em minha vida: olhai dentro de mim, olhei para fora — nunca vi tantas e tão boas coisas de uma só vez. Não foi em vão que sepultei hoje o meu quadragésimo quarto ano; eu podia MUITO BEM sepultá-lo: o que havia nele de Vida se conserva, é imortal...

O primeiro livro da *Transmutação dos valores*, os *Cantos de Zaratustra*, o *Crepúsculo dos ídolos*, a minha tentativa de fazer filosofia a golpes de malho — tudo isso como dádiva deste ano, especialmente destes últimos três meses!

— Como poderei deixar de ser-lhe reconhecido durante toda a minha vida?

Por isso eu vou recordar a minha gesta.

# Por que sou tão sábio

## 1

A verdadeira felicidade de minha existência, talvez a sua singularidade, consiste no seu destino: eu, para exprimi-lo em forma enigmática, como meu pai, já estou morto; como minha mãe, ainda vivo e envelheço. Esta dupla origem, que procede, de certo modo, do degrau superior e ao mesmo tempo do degrau inferior da vida, do que já está *decadente*, e de algo que *começa* agora, explica melhor do que qualquer outra razão esta mentalidade, esta independência e tudo quanto se relacione ao problema geral da vida, que constitui uma das minhas mais distintas qualidades. Para intuir com os *indícios* da subida e da descida, eu sou dotado de uma sensibilidade maior do que qualquer outra que fosse dado a um homem ter; eu sou o mestre por excelência, conheço um e outro, sou um e outro.

Meu pai morreu aos 36 anos; ele era tenro, gentil e mórbido, como um ser predestinado a desaparecer; ficou a sua recordação como uma doçura de vida que é a própria vida. Declinou a sua existência pelo mesmo tempo em que deveria declinar a minha. Aos 36 anos desci ao ponto mais débil da minha vitalidade: vivia eu ainda, mas sem enxergar um palmo diante de mim. Então — foi em 1879 — renunciei à minha cátedra de Basileia; vivi durante o verão como uma sombra em Saint-Moritz e o inverno seguinte, o mais pálido de minha existência, em Naumburgo.

No fundo, havia eu adquirido o vago e a imprecisão de uma sombra. Foi nesse período que nasceu *O andarilho e sua sombra*, no qual há alguma coisa de fantasmagórico.

No inverno seguinte — o primeiro que passei em Gênova — a dulcificação, a espiritualização do meu temperamento, esse estado mórbido, produto de uma extrema pobreza muscular e sanguínea, deu origem à *Aurora*. A clareza e serena amplitude dispositiva, inclusive a exuberância espiritual que se reflete dessa obra, encontra em mim uma harmonia poderosa, concordante não somente com uma profunda debilidade fisiológica, como também com um excesso de sofrimento.

Em meio a terríveis sofrimentos produzidos pela cefalalgia, que duraram três dias consecutivos, acompanhados de vômitos, conservei uma maravilhosa limpidez dialética e refleti com bastante sangue frio sobre problemas para os quais, quando estou são, não me sinto suficientemente ágil, perspicaz, *frio*.

Talvez os meus leitores saibam até que ponto eu considerei a dialética como um sintoma de decadência, como por exemplo num caso mais famoso: o de Sócrates. Todas as perturbações da inteligência, também aquelas resultantes da semissurdez, que é uma consequência da febre, até hoje eu as ignorei, tendo necessidade de informar-me da sua natureza e frequência através de obras científicas. O meu sangue corre lentamente. Ninguém ainda me encontrou possuído de febre. Um médico, que me tratou durante longo tempo como um paciente que sofria dos nervos, acabou por confessar-me: "Não! Não se trata dos seus nervos; eu, eu mesmo, sou um nervoso." De qualquer forma, absolutamente nenhuma moléstia se localiza em determinado ponto do organismo: a dor de estômago não era causada pelo órgão em si mesmo, se bem, devido ao esgotamento geral, tivesse o meu sistema gástrico a mais profunda debilidade; também a doença dos olhos, que por vezes se avizinhava de modo perigoso da cegueira, não era senão uma consequência, tanto assim que, com a reafirmação da vitalidade, também me aumentou a potencialidade visual.

Uma longa, uma demasiado longa série de anos significa para mim cura, mas também alicia recaídas, decadência, uma espécie de decadência periódica. Pois bem, acontecerá ainda que eu me julgue, depois de tudo isso, como *esperto* em questões de decadência? Estudei-as, sílaba por sílaba, para trás e para diante. A arte minuciosa de empunhar e de entender, os dedos prontos para colher qualquer fumarada, a psicologia do "ver além dos ângulos" e todas as demais particularidades que possua foram adquiridas somente então, são o verdadeiro e legítimo dom daquele tempo em que tudo em mim se aprimorava, tanto a própria observação quanto os órgãos dessa observação. Olhar de um ponto de vista doentio para o lado dos conceitos e dos valores mais *sãos*, e por sua vez da plenitude e da cumplicidade da vida *rica*, olhar lá embaixo no obscuro amálgama do instinto de decadência — foi esta a minha constante preocupação, a minha experiência, e nisso, quiçá, é coisa insignificante — e nisso eu enfibrei meu pulso —, *variar* as *perspectivas*, razão máxima por que talvez eu seja o único para o qual é possível uma *Transmutação dos valores*.

## 2

Aqui cabe uma explicação: não sou eu tão somente um decadente; sou também o contrário dum decadente. Uma prova evidente disso, entre outras, é o fato de ter instintivamente discernido sempre os *jus-*

*tos* meios nas situações difíceis, enquanto quem é somente decadente procura constantemente os meios que lhe são perniciosos.

Em *summa summarum*, eu estava são; como detalhe, como especialidade, não passava de um decadente. A energia, sempre voltada para o abandono absoluto, para a libertação das condições habituais, e o esforço contínuo contra mim mesmo para não deixar-me contemplar, servir, curar pelos médicos, tudo isso demonstra uma absoluta e instintiva *certeza daquilo* que então especialmente me acontecia.

Curei-me por mim mesmo, e assim fiquei livre da moléstia. Para que isso aconteça — todo fisiólogo deve admiti-lo — é necessário que no fundo se goze de saúde. Um ser verdadeiramente doente não pode curar-se, e muito menos por si mesmo; para um homem realmente são a moléstia poder ser, pelo contrário, um enérgico *incitamento* para viver e viver mais intensamente. Assim, realmente se me apresente *agora* aquele longo período de enfermidade; eu descobri quase novamente a vida, inclusive eu; degustei todas as coisas boas, mesmo as pequeninas; como outros dificilmente poderiam fazê-lo, eu fiz da minha vontade de ser são, de *viver*, a minha filosofia... Porque, note-se bem: foi precisamente nos anos da minha mais débil vitalidade que eu cessei de ser pessimista; a necessidade instintiva de restabelecer-me *afastou-me* da filosofia da miséria e do desânimo... Em tudo isso é de reconhecer-se, no fundo, a *vontade do advento*! Um homem bem-nascido adoça os nossos sentidos: ele é composto de uma fibra ao mesmo tempo dura, tenra e perfumada. Apraz-lhe somente aquilo que lhe é útil: o seu prazer e o seu desejo cessam quando ele ultrapassa os limites do útil. Adivinha ele todos os meios para reparar os males, afastando-se dos acidentes adversos; aquilo que não o aniquila torna-o bem mais forte. De tudo o que ele vê, ouve, vive, colhe instintivamente a *sua* suma; é um princípio de seleção: muitas coisas deixa cair. Está sempre em sua companhia, ou ocupando-se com os livros, ou com os homens, ou com as paisagens: como *discerne*, como *aceita*, como *confia*, ele também honra. Reage a toda espécie de fascinação, lentamente, com aquela lentidão que lhe ensinaram uma longa prudência e uma soberba volúpia — examina o enlevo que ascende a ele — está bem longe de ir-lhe ao encontro. Não acredita nem na "desventura" nem na "culpa": prevê logo qualquer coisa, consigo mesmo e com os outros, sabendo sobretudo olvidar — é suficientemente forte para que tudo lhe redunde em benefício próprio.

Pois bem; eu sou o *oposto* de um decadente, porque descrevi a *mim mesmo.*

## 3

Esta *dupla* série de experiências, esta possibilidade de avizinhar-se a mundos aparentemente diversos, repete-se na minha natureza sob qualquer aspecto: ... eu sou um sósia; possuo também a "segunda" vista, em contar a primeira. E, talvez, também a terceira...

Por uma graça do berço, o meu olhar *pode* projetar-se para além de qualquer ponto de vista puramente local, estritamente nacional; não me custa nada ser "um bom europeu". Por outra parte, sou talvez mais alemão do que poderão ser os germânicos de hoje, que são simples súditos do Império — eu, o último alemão *antipolítico.*

Todavia, os meus ancestrais eram nobres poloneses: muitos instintos raciais permaneceram no meu sangue; quiçá, talvez, também o *liberum veto.* Se penso quantas vezes, quando em viagem, sou tomado por polaco pelos próprios polacos, e quanto é raro me tomarem por alemão, sou levado a crer-me somente *salpicado aqui e acolá de germanismo.*

Contudo, minha mãe, Franzisca Oehler, é, de qualquer modo, alguma coisa de bem alemão; também assim, a minha avó paterna Erdmuthe Krause. Esta última passou toda a juventude na boa e antiga Weimar, não sem ter relações com os círculos goethianos. Seu irmão, o professor de teologia Krause, de Koenigsberg, foi chamado a Weimar, depois da morte de Herder, como superintendente-geral. Não é impossível que sua mãe, a minha bisavó, seja a que aparece no diário do jovem Goethe sob o nome *Muthgen*. Desposou ela, em segundas núpcias, o superintendente Nietzsche, em Eilerburgo. No mesmo dia do grande ano de 1813, no qual Napoleão entrava em Eilerburgo com seu estado-maior, a 10 de outubro, deu ela à luz um filho. Como saxona, era uma grande admiradora de Napoleão; talvez o fosse também eu.

Meu pai, nascido em 1813, faleceu em 1849. Antes que ele fosse vigário da comuna de Roecken, não longe de Lützen, vivera ele alguns anos no castelo de Altenburgo e ali instruíra as quatro princesas. As suas discípulas são a rainha de Hanover, a princesa Constantina, a grã-duquesa de Oldenburgo e a princesa Teresa de Saxônia-Altenburgo. Nutria profunda admiração para com o rei da Prússia, Friedrich Wilhelm IV, por quem foi nomeado para o posto de vigário; os acontecimentos de 1848 compungiram-no atrozmente. Eu, nascido no dia natalício do rei, tive, como era natural, os nomes dos Hohenzollern, *Friedrich* Wilhelm. A escolha de tal dia teve algo de bom, como seja isto: o dia do meu aniversário foi, durante toda a minha infância, dia de festa.

Considero um grande privilégio ser filho de tal pai: em verdade quer-me parecer que com isso se explicam todos os privilégios que possuo — não compreendia a vida, a grande *afirmação* da vida — e sobretudo o fato de que eu não tenha necessidade de uma intenção especial, mas basta-me uma simples espera, para entrar involuntariamente no mundo de coisas delicadas e elevadas; encontro-me aí muito bem, somente aí tem um desafogo livre a minha mais íntima paixão. Que eu pagasse tal privilégio quase com a vida não é certamente coisa insignificante; talvez para compreender algumas passagens do meu

Zaratustra é necessário estar na mesma condição em que eu estou: com um pé *além* da vida...

4

Desconheci sempre a arte de prevenir os outros contra mim — devo também isto ao meu incomparável pai —, nem mesmo quando me parecia que certas coisas tivessem suma importância. Antes, não obstante isso possa parecer bem pouco cristão, eu não sou malprevenido, nem mesmo contra mim. Pode-se estudar e reestudar a minha vida, encontrando-se nela bem raramente, ao que parece, no fundo, só uma vez, traços de animosidade contra mim; pelo contrário, encontraremos até demasiados de *benevolência*.

As minhas experiências, mesmo em relação àqueles com os quais todos colheram uma prova bem má, falam sem exceção em favor deles; eu domestico os ursos, torno altivos até os tardios. Durante sete anos de ensinar grego na última classe do Pedagogium de Basileia não tive nunca motivo para ministrar um castigo; até os mais preguiçosos comigo eram diligentes. É-me dado sempre fazer frente a qualquer eventualidade; para ser patrão de mim mesmo não devo autodominar-me. Seja qual for o instrumento, seja também tão destoante como somente pode ser o instrumento "homem", deveria ser um doente para que não me ocorresse tirar sons que se pudessem ouvir. Quantas vezes ouvi dizer pelos outros próprios "instrumentos" que nunca se ouviu produção de *simili* sons... Sobretudo, talvez, desde o de Heinrich von Stein, falecido em plena juventude, que depois de conseguir maneirosamente permissão, veio passar três dias em Sils-Maria, dizendo a todos que *não* vinha para ver a Engandina. Este excelente homem, que com toda a ingênua impetuosidade de um bravo jovem prussiano se lançara na palude wagneriana (além do mais, na dühringuiana!), sentiu-se naqueles três dias como que repassado de um impetuoso vento de liberdade, como alguém que ab-ruptamente é realçado até o *seu* espaço, sentindo pronunciar-se-lhe a articulação das asas. Repetia-lhe continuamente que era a consequência do excelente clima daquelas paragens, e isso sucedia a todos; que não era em vão o fato de se estar seis mil pés acima de Bayreuth — não havia meio de acreditar-me...

Se apesar disso foi cometido em meu prejuízo algum delito, grande ou pequeno, não foi o mesmo praticado intencionalmente, ou pelo menos com má intenção: antes — como ainda há pouco dizia eu — teria havido uma *ocasião* em que me fora dado queixar-me do contrário, das boas intenções que me ocasionaram muitos dissabores no decurso de minha vida. As minhas experiências me proporcionam amplo direito de desconfiar dos chamados *instintos desinteressados*, desse *altruísmo* fácil, e em geral de tudo o que seja o *amor do próximo* coadunante com o conselho e com a ação. Para mim, isso é sinal de fraqueza, uma prova da incapacidade de resistir aos estímulos: a *compaixão* tem o nome de virtude somente entre os decadentes. O que eu condeno nos que sentem compaixão é o fato de esses perderem facilmente o pudor, o respeito, o delicado sentido nas distâncias, porque a compaixão lembra demasiado o cheiro da plebe, assemelhando-se em muito aos modos desabonadores, dando lugar a que por vezes as mãos piedosas possam ter efeitos demasiado desastrosos sobre um grande destino, sobre *feridas não cauterizadas*, sobre o privilégio de se suportar uma grave culpa. Entre as virtudes *insignes* eu coloco a força de superar a compaixão: pus em verso, na "Tentação de Zaratustra", um caso, no qual, por um clamor angustioso que chega a ele, a compaixão o invade, como uma última culpa, desejando que se dedique menos ao culto dos seus princípios. Continuar-se dono de si neste caso, manter a *altura* do próprio objeto não contaminada pelos impulsos, muito mais humildes e escassos, que se fazem sentir nas chamadas ações altruísticas: esta é talvez a última prova que um Zaratustra deva sustentar, a verdadeira e real demonstração da sua força.

## 5

Também, sob um aspecto diverso, eu não sou outro que não meu pai, quase aquilo que sobrevive dele após a sua morte prematura. Como todos aqueles que nunca viveram entre os seus iguais, para quem o conceito de "represálias" é tão estranho quanto o de "paridade de direitos", eu, se for articulada contra mim alguma estultícia, por pequena ou *grande* que seja, afasto de mim toda precaução, qualquer cuidado e, naturalmente, toda defesa, toda "satisfação". A minha represália consiste em fazer seguir (o mais depressa possível) a essa estultícia um ato de sapiência: desse modo poderemos talvez chegar a ombreá-la. Para fazer com que ela se acompanhe de um pesadelo, eis o que faço: um saco de confete para pôr fim a uma história *escabrosa*.

Qualquer mal que se cometa contra mim, pode-se ficar seguro do meu "revide". Pouco depois, encontro ocasião propícia para exprimir o meu reconhecimento ao "malfeitor" (inclusive em virtude de sua ação), ou de *solicitar-lhe* um favor, o que lhe pode ser mais obsequioso do que vir proporcionar-lhe qualquer coisa.

Parece-me, também, que a palavra, que a carta mais descortês seja ainda mais cortês e delicada do que nada se responder. Quem cala falha sempre em finura e gentileza de ânimo; o calar é um pretexto; guardar consigo a injúria é formar necessariamente um péssimo caráter, arruinando de vez o estômago. Todos aqueles que silenciam sofrem do estômago.

Deduz-se disso que eu não desejaria ver desprezada a descortesia; ela é, há muito tempo, a mais *humana* forma de contradição; é, em meio da afeminação moderna, uma das nossas mais conspícuas virtudes.

Se formos suficientemente ricos para poder facultar isso, é uma fortuna não ter razão. Um Deus que surgisse na terra não poderia fazer outra coisa senão *injustiças*; inculcar-se não a pena, mas a *culpa*: isso, sim, seria realmente divino.

## 6

Não experimentar ressentimento algum, ver claro no seu ressentimento! — de quanta gratidão sou devedor também nesse sentido à minha longa moléstia! O problema é sobremodo simples: necessita-se tê-lo experimentado partindo da força e da fraqueza. Se alguma razão pode prevalecer contra o estado de moléstia e de debilidade, é que nele o verdadeiro e real instinto de salvação, isto é, o *instinto de defesa*, resulta menos potente. Não se sabe como libertar-se, não se sabe desvincular-se, não se consegue contrafazer nada: tudo nos é ofensivo. O homem e a coisa se sentem molestos com ser vizinhos; as ocorrências golpeiam demasiado profundo; a recordação é uma ferida a supurar... O estado dos enfermos é uma espécie de verdadeiro e atroz ressentimento.

Contra tudo isso, o doente tem um único meio de cura; chamo-o o *fatalismo russo*, aquele fatalismo sem revoltas com o qual o soldado russo que acha demasiado duro o serviço acaba por abandonar-se sobre a neve. A grande razão de ser deste fatalismo (que não é sempre coragem diante da morte) pela conservação da vida em meio às circunstâncias mais perigosas resulta do fato de isso produzir uma redução das mutações materiais, a minoração delas, quase um desejo de letargia. Ainda mais alguns passos através desta lógica, e estaremos diante do faquir que dorme semanas inteiras num túmulo...

Como, se reagíssemos, exterminar-se-ia demasiado depressa, não se reagiria jamais: esta é a lógica. E não há nada que consuma tão depressa quanto as paixões produzidas pelo ressentimento. A ira, a suscetibilidade mórbida, a impotência em vingar-se, o desejo, a sede de vingança, o envenenamento de qualquer intuição, tudo isso é para um ser exausto o mais atroz dos modos de reagir, resultando um rápido consumo de energias nervosas, um impressionante aumento de esgotamentos graves; por exemplo, o da bílis no estômago. O ressentimento é a coisa proibida *por excelência* a todo doente, aquilo que lhe faz mais mal; desgraçadamente, é também aquilo para o qual mais naturalmente se inclina.

Aquele profundo fisiólogo que foi Buda bem o compreendeu. A sua "religião", que se poderia melhor chamar uma *higiene* (para não confundi-la com coisas compadecedoras como o cristianismo), fazia depender a sua eficácia da vitória sobre o ressentimento: libertar a alma *disto* era o primeiro passo para a cura.

"Não é pela inimizade que acaba a inimizade; pela amizade termina a inimizade": essas palavras se encontram logo de começo na doutrina de Buda. E *não* é a moral que assim se expressa: é a voz da fisiologia.

O ressentimento, nascido da debilidade, para ninguém é tão danoso como para o homem débil; é, em outros casos — se se trata de uma natureza forte e rica —, um sentimento *supérfluo*, um sentimento que demonstra, quase, força e riqueza em quem sabe dominá-lo. Sabe-se com quanta seriedade a minha filosofia imprimiu a luta contra o rancor e o desejo de vingança, perseguindo-os até a doutrina do "livre-arbítrio" — a luta contra o cristianismo não é senão um caso especial — compreenderá por que eu me ocupo em trazer à luz, aqui mesmo, o meu modo de comportar-me, a *segurança do meu instinto* na prática. No tempo da decadência eu ma proibia, porque era danosa; como a vida se me refez bastante rica e soberba em relação a ela, proibir-me-á, porque estava bem *abaixo* de mim. Aquele "fatalismo russo" de que falei se rebelava então em mim no fato de apegar-me por anos e anos a situações, locais, habitações, companhias, desde que se me oferecessem casualmente: era sempre preferível mudá-las do que *sentir* que podiam mudar, revolver-se contra... Então, nutria um desprezo mortal àquele que me perturbava neste fatalismo, com o qual me acordava violentamente: e em verdade, todas as vezes, isso era um perigo mortal. Tomar a si mesmo como um Fato, não julgar-se "diferente" do que se é: eis, em tais circunstâncias, o *verdadeiro sentido*.

## 7

A guerra é coisa diversa. Por natureza, eu sou batalhador. Investir é um dos meus instintos. *Poder* ser inimigo indica uma natureza talvez bem forte; e possui todo o modo congênito de cada natureza forte. Tem ela necessidade de obstáculos porque *procura* o obstáculo: o ímpeto *agressivo* é uma consequência natural da força, do mesmo modo que o rancor e o desejo de vingança derivam da fraqueza. A mulher, por exemplo, é vingativa; esta é uma consequência da sua fraqueza, bem como da sua sensibilidade diante das misérias do próximo.

A força do assaltante possui uma espécie de *medida* no gênero de oposição de que tenho necessidade; todo o aumento de força se trai com a procura do adversário — ou de um problema — mais poderoso; porque um filósofo, se é batalhador, desafia a duelo também os problemas. A sua finalidade não é superar dificuldade em geral, mas sim superar precisamente aquelas contra as quais deve empenhar toda a sua força, a sua flexibilidade, o seu domínio nas armas; deve vencer adversários *comparáveis* a ele em força. Paridade de condições diante do inimigo: é essa a primeira premissa de todo duelo feito *lealmente*. Desprezando-se, não se *pode* fazer guerra; dominando-se, sente-se alguma coisa *debaixo* de si, não se *devendo* fazer guerra.

A minha prática de guerra pode ser resumida em quatro proposições. Primeira: eu ataco somente as coisas vitoriosas; ou espero até tal se tornarem. Segunda: ataco somente as coisas para as quais não poderia encontrar companheiros onde estou só, onde sou o único a comprometer-me... Nunca articulei um passo que não me comprometesse: isto é (segundo o *meu* modo de ver), em que não me fosse dado agir corretamente. Terceira: não ataco nunca as pessoas; sirvo-me delas como de uma possante lente de aumento com que se pudesse tornar visível algum mal comum, mas oculto, difícil de ser pesquisado. Dessa forma, ataquei David Strauss ou, com maior precisão, o sucesso decretado pela "erudição" alemã a favor de um livro fraquíssimo; esta erudição, colhi-a então ao acaso... Do mesmo modo, ataquei Wagner, ou mais precisamente a falsidade, o hibridismo da nossa "cultura", que confunde os destacados com os ricos, os tardios com os grandes. Quarta: eu ataco somente coisas das quais se exclui qualquer antipatia pessoal, para as quais me falta todo e qualquer sedimento de esperanças tristes. Pelo contrário, investir é, para mim, um sinal de benevolência, sendo às vezes até de reconhecimento. Para mim é uma honra proporcionar algo; uma distinção, quando uno o meu nome ao de uma coisa ou de uma pessoa: pró ou contra ela, é-me indiferente. Se guerreio o cristianismo, tenho pleno direito a isso, porque desse lado nunca me investiram desgraças ou obstáculos; os cristãos mais convictos sempre me foram sobremodo benévolos. Eu mesmo, inimigo do cristianismo *de rigueur*, estou bem longe de ter ódio aos seus prosélitos, sendo, como é, uma fatalidade de milhares de anos.

## 8

Poderei aventurar-me a indicar ainda um último traço do meu caráter, que me causa não pequenas dificuldades nas minhas relações com os homens? Eu sou dotado de uma irritabilidade absolutamente inquietadora diante do asseio, tanto assim que sinto fisiologicamente a vizinhança ou — como dizer? — o íntimo, as "vísceras" de qualquer alma; adoro-as. Em relação a essa sensibilidade, possuo tentáculos psicológicos com os quais tateio qualquer segredo, empunhando-o: toda a podridão, *escondida* no fundo de alguns temperamentos, causada talvez pelo sangue ruim, mas depois dissimulada da melhor forma pela educação, resulta-me evidente, quase desde o primeiro contato. Se observei bem, esses temperamentos insuportáveis ao meu conceito de asseio sentem também de sua parte as precauções que me insinua a minha repugnância: nem por isso, se tornam mais perfumadas...

Como sempre estive habituado a fazer — uma extrema pureza comigo mesmo é a condição de vida; em situação pouco asseiada, morro —, eu nado e tomo banho, enchafurdo-me na água, ou em qualquer outro elemento, de perfeita transparência e esplendor. Isso tudo conduz por vezes a minha paciência a provações duríssimas, nas relações que mantenho com os homens; a minha "humanidade" consiste não em simpatizar com os outros homens, mas em *suportar* a sua proximidade... A minha humanidade é uma vitória contínua sobre mim mesmo.

Mas eu tenho necessidade de solidão, isto é, de curar-me, de tornar a ser o que fui, de respirar uma atmosfera livre, leve, forte... Todo o meu Zaratustra não é mais do que um ditirambo à solidão ou, se fui bem-compreendido, à *pureza*... Felizmente, não à *pura insensatez*... Quem tem olhos para ver as cores dirá que isso é de diamante. O nojo aos homens, à laia, foi sempre o meu maior perigo... Quereis ouvir as palavras com as quais Zaratustra fala da sua *libertação* do asco:

Que teria acontecido? Como me curei da aversão? Quem rejuvenesceu meus olhos? Como remontei às alturas onde já não há canalha sentada à beira das fontes?

A minha própria aversão me deu asas e forças anunciadoras dos mananciais? Na verdade tive que voar aos píncaros para tornar a encontrar a fonte da alegria.

Oh! Encontrei-a, meus amigos! Aqui, no mais alto, brota para mim a fonte da alegria! E há uma vida em que se pode haurir a sede sem a canalha!

Fonte da alegria, jorras com demasiada intensidade! E por vezes esvazias a taça, em lugar de enchê-la!

Ainda tenho que aprender a aproximar-me de ti mais moderadamente; o meu coração acorre ao teu encontro com afanosa pressa; este coração, onde arde o meu estio, o breve, ardente, melancólico e venturoso estio. Como anda pela tua algidez o meu coração estival!

Passou a aflição de minha primavera! Passaram os malignos flocos nevados em pleno junho! Afirmo-me estival e interessante tarde!

Um estio nas alturas, com suaves mananciais e ditosa tranquilidade. Oh! Vinde, amigos meus! Seja plenamente ditosa esta tranquilidade!

Porque esta é a *nossa* altura e a *nossa* pátria; e nossa mansão é demasiado elevada e escarpada para todos os impuros e para a sede dos abjetos.

Lançai os vossos puros olhares à fonte da minha alegria, ó meus amigos!

Como poderia turvar-se em si? Sorrir-vos-á com a *sua* preguiça...

Nós, os solitários, tecemos o ninho à árvore do futuro; as águias nos trarão no bico o sustento necessário.

Por certo, não será um sustento de que possam compartilhar os impuros! Porque os impuros julgariam que devoravam fogo e que as faces se lhes abrasavam.

Não preparamos aqui, em verdade, mansões para os impuros! A vossa ventura pareceria glacial aos seus corpos e aos seus espíritos!

E nós queremos viver acima deles, como ventos fortes, vizinhos das águias, rentes ao sol; assim vivem os ventos impetuosos.

E, à semelhança do vento, quero soprar entre eles um dia e cortar a respiração ao seu espírito; assim exige o meu futuro.

Zaratustra, em verdade, é um vento forte para todas as terras baixas, e dá estes conselhos aos seus inimigos e a quantos escarram e expectoram: "Livrai-vos de cuspir para cima!"

# Por que sou tão sagaz

1

Por que eu sei alguma coisa mais do que os outros? Generalizando: por que eu sou tão sagaz, tão perspicaz? Nunca refleti acerca de problemas que não são problemas; por isso não me "dissipei". Exemplificando: nunca conheci verdadeiros problemas *religiosos*. Não posso absolutamente chegar a ver até que ponto poderei estar "sujeito a pecar". Dessa forma, falta-me um sólido critério para estabelecer o que seja um remorso: pelo que *ouço* dizer, parece-me que um remorso não é nada agradável... Eu não desejaria deixar em meio uma ação, *depois*; preferiria prescindir retamente, no problema do valor, do mau êxito e das consequências. Se uma coisa termina mal, perde-se facilmente a visão *reta* que se procedeu sobre ela: um remorso me parece alguma coisa semelhante a uma "visão errada". Prezar tanto mais uma coisa fracassada, *justamente porque* fracassou: a isso se reporta, de modo especial, a minha moral.

"Deus", "imortalidade da alma", "redenção", "além", todos esses são conceitos que nunca levei em conta; nunca com eles sacrifiquei o meu tempo, nem mesmo em criança; talvez nunca fosse bastante ingênuo para fazê-lo? Para mim o ateísmo não é nem uma consequência, nem mesmo um fato novo: existe comigo por instinto. Sou bastante curioso, suficientemente *incrédulo*, demasiado insolente para contentar-me com uma resposta tão grosseira. Deus é uma resposta rude, uma indelicadeza contra nós pensadores; antes, dizendo-se a verdade, não é senão um tosco *empecilho* contra nós mesmos: não deveis cogitar dele!

Interesse bem diverso tem, ao invés, o problema de que depende a "salvação da humanidade" sobre qualquer curiosidade teológica: o problema da *nutrição*. Praticamente, pode-se formulá-lo do seguinte modo: "Como deves nutrir-te para chegares ao *teu* máximo de força, de *virtude* (no significado que a essa palavra se dava na Renascença), de virtude livre da moral?" As minhas experiências nesse campo são péssimas: admiro-me de ter ventilado tão tarde este problema, de ter feito só agora o tesouro destas experiências. Somente a absoluta baixeza da nossa cultura alemã — o seu "idealismo" — explica-me isso até certo ponto, porque (logo nesta matéria) fiquei atrasado em ponto que confinava com a santidade. Uma "cultura" que ensina como princípio essencial perder de vista a *realidade* para ater-se a escopos problemáticos, chamados ideais — por exemplo aquele da "educação clássica" —, como se não fosse desde o início uma empresa perdida essa de reunir em um só os dois conceitos, "clássico" e "alemão"! Pior ainda: dá um efeito cômico! Imagine-se por um momento o habitante de Leipzig com uma "cultura clássica"!

Na realidade, até os meus anos de madureza digeri sempre *mal*, falando sob o ponto de vista moral, "impessoalmente", "desinteressadamente", "altruisticamente", em benefício dos cozinheiros e dos meus familiares. Eu reneguei, por exemplo, a favor da cozinha de Leipzig, juntamente com o meu estudo sobre Schopenhauer (1865), também, e mui seriamente, a minha "vontade de viver". Desgastar-

-se no estômago com o fito de escolher uma nutrição insuficiente; parecia-me que a citada cozinha tivesse resolvido maravilhosamente este problema. (Diz-se que depois de 1866 mudou muito.) Mas a cozinha alemã, uniformemente, quantos pecados não tem na consciência?!

A sopa *antes* das refeições (uso denominado "à alemã" já nos livros culinários venezianos do século XVI); a carne demasiado cozida; os legumes refervidos com muita gordura e farinha; os doces, duros como ladrilhos! — se a isso tudo se acrescentasse a necessidade verdadeiramente bestial dos velhos alemães, e não dos velhos somente, de beber depois de jantar, compreender-se-ia também donde provém o *espírito alemão*: dos intestinos empanturrados... O espírito alemão é uma indigestão, não chegando nunca ao fundo de alguma coisa. Mas também o regime inglês, que confrontado com o alemão e com o francês, é uma espécie de "regresso à natureza", isto é, ao canibalismo, repugna profundamente ao meu instinto: parece-me que ele dá ao espírito pés *pesados*, pés de mulher inglesa... A melhor cozinha é a do Piemonte.

As bebidas alcoólicas me fazem mal; um copo de cerveja ou de vinho durante o dia basta para fazer-me da vida um "vale de lágrimas"; em Munique habitam os meus antípodas. Apesar de ter tido consciência tardiamente, *experimentei-o* desde a infância. Em criança acreditava que beber fosse como fumar, primeiro uma vaidade de jovens, depois um péssimo hábito. Talvez, um pouco de culpa neste áspero juízo tenha também o vinho de Nuremberg. Para acreditar que o vinho nos dá leveza, deverei ser cristão, isto é, *crer*, o que para mim é um absurdo. Estranho: enquanto *pequenas* doses de álcool fortemente aguado me põem em humor extremamente mau, com as doses *fortes* quase me torno um marinheiro. Desde criança eu me vangloriava disso. Explanar e copiar uma longa dissertação latina numa única noite, a pena ambicionando imitar, na exatidão e na concisão, o meu modelo, Salústio, e deitar no meu latim outros tantos tragos do mais forte calibre, era coisa que — quando eu frequentava a venerável escola de Pforta — não contrastava com a minha fisiologia, nem talvez com a de Salústio, embora contrastasse com a venerável escola de Pforta... Mais tarde, pela metade da vida, tornei-me cada vez mais *contrário* ao uso de bebidas "espirituosas": eu, antivegetariano por experiência, assim como Richard Wagner, que me converteu, não poderia recomendar com suficiente seriedade completa abstinência de qualquer bebida alcoólica a todos os temperamentos *espirituais*. A *água* basta... Prefiro os lugares onde se nos apresenta continuamente ocasião de beber em fontes borbulhantes (Nice, Turim, Sils); um copinho me acompanha sempre, como um cão fiel. *In vino veritas*; parece-me que também aqui eu discordo de todos na explanação do conceito de *verdade*. Para mim, o espírito reflui da água...

Ainda uma ou duas referências acerca da minha moral. É mais fácil digerir uma ceia abundante do que uma bem minguada. Condição primacial para uma boa digestão é que o estômago aja plenamente. É preciso *conhecer* a grandeza do nosso estômago. Pelo mesmo motivo não são de aconselhar-se aquelas intermináveis ceias que eu denomino sacrifícios interrompidos: as ceias em *table d'hôte*. Não se come entre uma e outra refeição, nem se toma café: o café esfria as ideias. O *chá* apenas faz bem pela manhã; pouco, porém forte, faz muito mal e pode inutilizar um dia todo se for só um pouquinho mais fraco. Nisso cada um tem a sua medida, que se situa quase sempre entre os limites mais restritos e delicados. Em clima muito excitante, o chá não é aperitivo aconselhável: é preciso começar uma hora antes, com uma boa chávena de cacau, denso e suculento. *Sentar-se*, o mínimo possível; não se preste nenhuma fé a pensamentos que não nasceram ao ar livre e por uma ação natural, na qual os músculos não tiveram gozado de alegria. Todos os preconceitos provêm dos intestinos. Eu já disse certa ocasião: *Estar* à *mesa* é um verdadeiro pecado contra o Espírito Santo.

## 2

Intimamente ligado ao problema da nutrição é o do *local* e o do *clima*. Ninguém é dono de viver onde lhe apraz; e para quem possui um grave escopo a atingir a escolha é realmente, na sua faculdade, muito limitada. A influência do clima na *transmutação material* — no concernente às suas lentidões e acelerações — acontece, por vezes, que um erro na escolha do lugar e do clima pode não só desinteressar alguém do seu escopo, como também afastá-lo de todo: e assim ele não chega a vê-lo. O vigor animal nunca se tornou nele tão grande para alcançar aquela liberdade que dimana aos mais altos graus do espírito, que faz proclamar: *isto*, posso-o sozinho... Basta também a mínima inércia dos intestinos — tornada depois um péssimo hábito — para fazer de um gênio algo de medíocre, de "germânico": e basta só o clima alemão para desfibrar intestinos fortes e quiçá tendentes ao heroísmo. O "tempo" da permuta material está em relação direta com a maior ou menor mobilidade dos *pés* do espírito; o próprio espírito, no fundo, não é senão uma forma desse intercâmbio. Pense-se um pouco nos lugares onde houve ou existem homens de espírito, onde o espírito, a perspicácia e a malícia faziam parte da felicidade, onde o gênio nascia quase por necessidade: todos têm um semblante caracteristicamente seco. Paris, Provença, Florença, Jerusalém, Atenas são nomes que ainda demonstram alguma coisa: demonstram que o gênio *depende* da atitude desabrida, do céu sereno, isto é, da rápida transmutação material, da possibilidade de encontrar-se continuamente grandes, enormes, por assim dizer, quantidades de força. Tenho em mente o caso de um espírito notável e livre, que, unicamente pela falta de finura instintiva na escolha do clima, tornou-se reservado, obscuro, especialista e resmungão. E eu mesmo me teria tornado tudo isso se a doença não me houvesse constrangido à razão, a refletir acerca da razão na realidade. Agora que, em virtude da longa experiência, leio em mim mesmo os efeitos das mudanças climatéricas e meteorológicas como os leria num instrumento fino e delicado — desde que numa rápida viagem, por exemplo, de Turim a Milão, posso controlar fisiologicamente por mim mesmo a mudança de grau na umidade do ar — penso agora, cheio de terror, no fato impressionante de que minha vida, até os últimos dez anos, os anos mais perigosos, transcorreu sempre em locais pouco favoráveis, para mim necessariamente inadaptáveis. Nuremberg, Schulpforta, a Turíngia em geral, Leipzig, Basileia, Veneza são outros tantos lugares infaustos para minha fisiologia.

Se da minha infância e da minha juventude eu não tenho sequer uma doce recordação, seria bobagem procurar alguma razão de índole "moral", por exemplo, a indiscutível falta de convivência *adaptável* para mim: porque essa falta existe hoje como sempre existiu, sem todavia impedir-nos de ser alegre e forte. Não, a ignorância em matéria de fisiologia, o maldito "idealismo" é a verdadeira fatalidade da minha vida, o que há nela de supérfluo e estúpido, donde não surgiu nada de bom, nada que valha retribuí-la ou compensá-la. Como consequência desse "idealismo", eu me explico todos os erros, todas as grandes aberrações do instinto e as "modéstias" que me arrastaram bem longe do *escopo* prefixado à minha vida: por exemplo, ter-me tornado filólogo; e por que, de preferência, não segui a medicina, ou qualquer outra coisa que pelo menos me teria servido para abrir-me um pouco os olhos? Durante a minha estada em Basileia, todo o meu regime de vida espiritual, até a divisão das minhas horas diárias, era um malbaratar absolutamente insensato de forças excepcionais, sem uma aquisição de novas energias que de qualquer forma servissem para compensar aqueles dispêndios, sem o mínimo cuidado do consumo e da compensação. Era a ausência total de personalidade, de qualquer *tutela* do instinto dominador; era um emparelhar-se com o primeiro a chegar, um "desinteresse", um esquecer de distâncias, alguma coisa, em suma, que me não posso perdoar. Quando cheguei quase ao fim, precisamente *porque* me encontrava quase no fim, comecei a refletir sobre a irracionabilidade fundamental da minha vida, "o idealismo". Somente a *enfermidade* me reconduziu à razão.

## 3

Escolhida a nutrição, escolhido o clima e o lugar, a terceira escolha em que é necessário ter precaução para não cometer algum erro é a do gênero de *repouso adaptável.* Também aqui, de acordo com o grau de um espírito *sui generis*, os limites daquilo que lhe é permitido, daquilo que lhe é útil, são mais ou menos restritos. No meu caso, qualquer gênero de *leitura* é uma recreação: é, pois, uma coisa que me afasta de mim mesmo, que me deixa divagar entre ciências e almas estranhas — alguma coisa que eu não levo mais a sério. A leitura me alivia por vezes da *minha seriedade*. Nas épocas em que eu trabalhava muito não se viam livros ao redor de mim: esquivar-me-ia bem de permitir a outrem de falar ou de pensar em minha presença. E ler seria dizer precisamente isto...

Observou-se, porventura, que naquela profunda tensão a que condena o espírito a incubação dum pensamento e, no fundo, todo o organismo, o deflagrar ou qualquer excitamento externo age demasiado violentamente, golpeia bem profundamente? É necessário subtrair-se, na medida do possível, ao fato, aos estímulos que provenham do exterior; uma espécie de autoemparedamento é um dos primeiros preceitos instintivos da prudência em qualquer gravidez intelectual. Ser-me-ia dado permitir que um pensamento *estranho* escale às escondidas essa parede?

— E ler seria afirmar precisamente isso...

Às épocas de trabalho e de produção seguem de repouso: e então, diante de vós, livros recreativos, livros espirituosos, livros evitados!

Devo transportar-me a seis meses atrás para ver-me com um livro à mão. Que livro era? Um esplêndido estudo de Victor Brochard: *Les Sceptiques grecs*, no qual também foi utilizado o meu estudo laerciano. Os céticos! O único tipo *honrado* entre a gente filosófica desde o segundo até o quinto sentido!... Contudo, recorro quase sempre aos mesmos livros, poucos, no fundo; os livros que considero realmente *demonstrativos*. Ler muito e coisas bem várias não se coaduna com a minha natureza: uma sala de leitura me adoece. Não é de meu hábito amar muito a muitas coisas. Estão mais vizinhas dos meus sentidos a desconfiança e a hostilidade contra os livros novos do que "tolerância", *largeur du coeur* e qualquer outra forma de "amor ao próximo".

Recorro sempre que tenho necessidade de ler a um pequeno número de velhos autores franceses: creio somente na cultura francesa; tudo aquilo que se chama de "cultura" na Europa e nos outros continentes quer me parecer um equívoco, isso para não falar da cultura alemã... Os poucos casos de cultura mais elevada que encontrei na Alemanha eram de origem francesa; antes de qualquer outra, aponto a senhora Cosima Wagner, a mais nobre voz que eu ouvi em questões de refinado gosto.

Se eu não leio, mas *amo* Pascal, como a mais interessante vítima do cristianismo, morto lentamente, primeiro no corpo e depois na alma, pela consequência lógica desta monstruosa forma de crueldade desumana; se tenho no espírito e, quem sabe?, talvez também no corpo algo da malícia petulante de Montaigne; se o meu gosto artístico não pode defender sem um íntimo desprezo os nomes de Molière, Corneille e Racine contra um gênio bárbaro como o de Shakespeare, tudo isso não implica também em dizer que os moderníssimos autores franceses possam ser para mim uma companhia bastante agradável. Realmente, eu não sei em que século da história se poderia pescar de uma só vez psicólogos tão curiosos e, ao mesmo tempo, tão delicados como os de Paris, atualmente: Paul Bourget,

Pierre Loti, Gyp, Meilhac, Anatole France, Jules Lemaitre ou, para citar um de raça viril, um verdadeiro latino a que sou especialmente afeiçoado, Guy de Maupassant. Entre nós, eu prefiro *esta* geração à dos seus grandes mestres que, conjuntamente, estão desgastados pela filosofia germânica. Taine, por exemplo, pela doutrina de Hegel, ao qual deve ele não ter compreendido grandes homens e épocas notáveis. Até onde possa chegar, a Alemanha *arruína* a cultura. Somente a guerra "redimiu" o espírito em França...

Stendhal, um dos mais belos casos da minha vida — porque tudo o que para ela teve importância aconteceu-lhe casualmente, nunca de uma recomendação especial —, é absolutamente inestimável com o seu previdente olho de psicólogo, com aquele modo tão seu de retratar a realidade, recordando a vizinhança do homem mais *real* que porventura existiu (*ex ungue Napoleone*). Enfim, é esta a sua qualidade menos importante, como *ateu* honesto, espécie bem rara em França, e dificílima de encontrar-se — para maior glória de Próspero Mérimée... Serei eu, talvez, ciumento em relação a Stendhal? Roubou-me ele a melhor frieza ateística, precisamente aquela que eu poderia realizar: "a única desculpa de Deus é que ele não existe"... E eu mesmo já disse, não sei em que passagem de meus escritos: "Qual foi até agora a maior abjeção lançada à existência? *Deus*..."

4

Heinrich Heine é para mim a mais elevada concepção do lirismo. Procuro em vão nos séculos passados uma voz tão doce e apaixonada como a sua. Possuía ele aquela perfídia divina sem a qual não posso imaginar a perfeição; porque eu aprecio o valor dos homens e das raças segundo o grau em que lhes é possível coadunar a imagem divinal com a do sátiro. — E como escreve o alemão! Dir-se-á um dia que Heine e eu fomos não somente os maiores artistas da língua alemã, como também deixamos incalculavelmente atrás tudo aquilo que fizeram dela os simples alemães...

Com o *Manfredo* de Byron devo ter alguma afinidade de sangue, porque todos os abismos da sua alma encontrei-os na minha; aos 13 anos eu já podia dominar a leitura dessa obra. Não tenho palavras; só possuo certa contemplação para com aqueles que diante do *Manfredo* têm coragem de pronunciar a palavra "*Fausto*". Os alemães são *incapazes* de conceber a grandeza: seja Schumann o informante! Por um ódio íntimo contra este saxão adocicado, compus uma *Contra-ouverture* ao *Manfredo*, da qual Hans von Bülow dizia que nunca vira coisa semelhante escrita em papel de música, parecendo aquilo, a seu juízo, uma violação de Euterpe.

Quando procuro a minha mais alta razão de estima por Shakespeare, encontro somente esta: ele concebeu o tipo de César. Coisas assim não se adivinham: ou são ou não o são. O grande poeta só atinge a sua realidade até o ponto em que não pode suportar a própria obra... Se me ocorre lançar a vista sobre o meu Zaratustra, devo depois passear durante uma boa meia hora, de um lado para outro do meu quarto, incapaz de dominar um intolerável ímpeto de soluços. Não conheço uma leitura tão enervante como a de Shakespeare: quanto não deve ter sofrido um homem para sentir a tal ponto a necessidade de transformar-se em palhaço! *Compreende-se* Hamlet? Não é a dúvida, mas sim a *certeza* que faz os loucos... Mas para sentir a tal ponto é necessário ser profundo filósofo, ter em si abismos... Todos nós *tememos* a verdade... É preciso confessar: eu tenho a certeza instintiva de que lorde Bacon é o criador, o primeiro autotorturador deste inquietante gênero de literatura; que *me* importa a grita comovente destes americanos, confusos e venais? Mas a força da poderosa realidade da visão não é somente conciliável com a máxima energia em ação, ação monstruosa, como o delito —

em verdade, promete. Não sabemos muito acerca de lorde Bacon, o primeiro realista, no mais amplo sentido da palavra, para saber *tudo* aquilo que ele fez, *isto* é, que ele quis, *digamos*, que pensou... Ide ao Diabo, meus caros críticos! Se eu tivesse batizado o meu Zaratustra com outro nome, por exemplo com o de Richard Wagner, não teria bastado para a aguda indagação de dois milênios para adivinhar que o autor de *Humano, demasiado humano* é o visionário do *Zaratustra*.

5

Aqui, onde falo das recreações da minha vida, devo gastar uma palavra para exprimir o meu reconhecimento a quem me recreou mais íntima e docemente: isso é, sem dúvida, a íntima amizade que me ligou a Richard Wagner. Pouco se me dão as minhas relações com os homens, mas por preço algum eu quisera cancelar de minha vida os belos dias de Tribschen, dias de confidência, de ternura, de casos sublimes — de instantes *profundos*... Não sei em que relações outros estiveram com Wagner: no *nosso* céu nunca passou a mais ligeira nuvem. Com isso, volto mais uma vez à França. Não tenho de que recriminá-lo, nutrindo apenas um desdém fundado contra os wagnerianos *et hoc genus omne* que acreditam honrar Wagner, porque o julgam bem semelhante a si *mesmos*... Feito como sou, instintivamente estranho a tudo o que é alemão (a ponto de me bastar a aproximação de um deles para retardar-me a digestão), o meu primeiro encontro com Wagner foi o momento inicial da minha vida em que respirei livremente: eu o senti; honrei-o como o *Exterior*, como o oposto, como um protesto vivo contra todas as "virtudes alemãs".

Nós que, crianças, vivíamos na atmosfera viciada dos anos próximos a 1850, necessariamente pessimistas em relação ao conceito de "alemão", só podemos ser revolucionários, não admitindo nunca um estado de coisas no qual predomine o *Tartufo*. É-me perfeitamente indiferente que ele tenha mudado de roupa, que se vista de escarlate ou com a farda de hussardo. Eia! Wagner era um revolucionário; fugiu dos alemães... Como *artistas*, não se tem outra pátria na Europa além de Paris: a delicadeza de todos os cinco sentidos artísticos que requer a arte de Wagner, a habilidade em coligir diversos matizes, a morbidez psicológica, não se encontram senão em Paris. Em nenhum outro lugar as questões de forma apaixonam tanto e a *mise-en-scène* é levada tão a sério — essa é a seriedade parisiense por excelência. Na Alemanha não se têm a mínima ideia acerca da enorme ambição que contém o coração de todo artista parisiense. Os alemães são bonachões — Wagner não era bonachão.

Expliquei suficientemente no meu livro *Além do bem e do mal*, a que classe de artistas ele pertence, quais os seus parentes mais próximos: são os românticos franceses do segundo período, aquela sublime falange de artistas como Delacroix, como Berlioz, que guardo no recôndito de meu ser; algo de enfermo incurável, fanáticos e virtuosos na sua arte de *expressão* até um ponto incrível. E quem foi o primeiro partidário *inteligente* de Wagner? Charles Baudelaire, o mesmo que primeiro compreendeu Delacroix, aquela típica natureza de decadente, na qual se reconheceu toda uma geração de artistas — quiçá, foi também o último... O que eu nunca poderei perdoar a Wagner? A sua *condescendência* para com os alemães, a sua adaptação, a ponto de tornar-se um bom alemão... Por onde quer que passe, a Alemanha *destrói* a cultura.

6

Levado em conta tudo isso, eu não teria podido suportar a minha juventude sem a música de Wagner, porque me considerava um *condenado* entre os "alemães". Para libertar-se de uma opressão insuportável é necessário sorver *haschisch*. Pois bem: eu tinha necessidade do convívio de Wagner; ele é o antídoto contra tudo o que é alemão por excelência, sendo, todavia, convenhamos, um veneno... Desde o momento em que tive em mãos uma partitura de piano do *Tristão* — as minhas congratulações ao senhor Von Bülow —, tornei-me wagneriano. As obras anteriores de Wagner me pareciam insignificantes, vulgares, demasiado "alemães"... Ainda hoje eu procuro uma ópera duma fascinação tão perigosa, tão infinitamente terrível e doce como o *Tristão*; procuro-a em todas as artes, porém inutilmente. As mais formosas e estranhas concepções de Leonardo da Vinci perdem o atrativo diante dos primeiros acordes de *Tristão*. Esta obra é realmente o *nec plus ultra* de Wagner; refez-se ele da fadiga de tê-la criado com os *Mestres cantores* e com o *Anel*. Para uma natureza como a wagneriana, curar-se quer dizer *dar um passo para trás*... Eu sempre considerei uma grande felicidade ter vivido no tempo ajustado entre os alemães, precisamente a fim de *amadurecer* para esta obra: a tanto chega a minha curiosidade de psicólogo! O mundo é pobre para aquele que nunca foi bastante doente para saborear esta "volúpia infernal", sendo-me permitido, quase imposto, o uso de uma fórmula mística. Acredito conhecer melhor do que qualquer outro os prodígios de que Wagner era capaz, os cinquenta mundos encantadores, estranhos, para os quais ninguém, a não ser ele, podia ruflar as asas. Por isso, sou bastante forte para deduzir a meu favor também as coisas mais duvidosas e perigosas, tornando-me ainda mais forte: posso dizer que Wagner é o grande benfeitor de minha vida. O que constitui a nossa mais íntima semelhança — o termos sofrido, tanto um como outro, mais profundamente do que podem sofrer os homens deste século — conglobará ainda, eternamente, os nossos nomes; e como é certo que Wagner é incompreendido pelos alemães, assim também eu o sou e serei sempre. *Primeiro*, dois séculos de disciplina psicológica e artística, caros senhores alemães... Mas estas coisas não se alcançam facilmente.

## 7

Ainda uma palavra para os ouvidos mais delicados: o que eu, realmente, pretendo da música. Seja-me ela serena e profunda como um poente de outubro; apresente-se íntima, exuberante, tenra; uma doce mulherzinha, toda humildade e donaire... Nunca admitirei que um alemão *possa* saber o que seja a música! Todos aqueles que se chamam músicos alemães — antes de mais nada, são *estrangeiros*, eslavos, croatas, italianos, holandeses ou judeus —, são alemães de raça forte, daquela que hoje está *extinta*, como Heinrich Schütz, Bach e Handel. Quanto a mim, sou ainda muito polaco para dar a Chopin todo o resto da música. Excetuados, por três razões, *Siegfried-Idyll* de Wagner, e quiçá alguma coisa de Liszt, que tenha os mais elevados "assentos de orquestração" entre todos os músicos, e ainda, tudo aquilo que se produziu além dos Alpes; *para cá*... Eu não poderia prescindir de Rossini, e muito menos do *meu* Sul na música, da música do meu mestre veneziano Pietro Gasti.

Quando eu digo para lá dos Alpes, refiro-me unicamente a Veneza. Se procuro outra palavra para dizer "música", encontro somente como sinônima a palavra "Veneza". Não posso diferenciar lágrimas e música. Conheço a felicidade de não poder pensar no *sul* sem um frêmito de horror.

Meditava, há pouco, na ponte
em meio da noite azeviche.
Chegava-me aos ouvidos um canto longínquo...
Gotas douradas fosforesciam
à face trêmula das águas.
Gôndolas, luzes e músicas
vagam, como um sonho, em busca do crepúsculo...

Minha alma, como harpa vibrante,
enlevada em arroubos invisíveis,
cantava a si mesma
reconditamente, uma canção de gondoleiro,
toda extasiada de beatitude inefável...
— Quem a ouviria?

8

Acima de tudo isso — da escolha dos alimentos, do clima e das recreações — impera um instinto de conservação que se manifesta, pelo modo mais explícito, como instinto de *autodefesa*. Não ver, não ouvir, não deixar chegar a nós coisas em demasia é a melhor previsão, a melhor prova para demonstrar que não somos um caso, mas uma necessidade. A palavra usual para determinar este instinto de autodefesa é "bom gosto". O seu Imperativo manda não só dizer "Não", quando o "Sim" seria indício de "desinteresse", mas também dizer "Não" o *menos possível.* Conservar-se longe, separados de tudo aquilo que obrigaria sempre a responder "Não"! Isso em razão do fato de que o dispêndio defensivo, em matéria de energia, por pequeno que seja, sempre se torna uma regra, um hábito, produzindo um depauperamento extraordinário e sobremodo supérfluo. Os nossos *grandes* dispêndios são apenas a soma repetida dos pequenos desgastes. A nossa defesa individual contra as aproximações alheias constitui também um dispêndio — não tenhamos ilusões —; é uma força *dissipada* com escopos negativos. Perdurando em nós a necessidade de defesa, podemos ficar tão fracos a ponto de sermos incapazes de defender o nosso instinto em qualquer circunstância.

Admitamos que eu, saindo de casa, encontrasse, ao invés da silenciosa e aristocrática Turim, uma cidadezinha alemã: o meu instinto teria necessidade de concentrar-se em si mesmo para repelir tudo aquilo que o acossasse daquele ambiente trivial e aborrecedor. *Ou*, então, se me depararia a grande cidade alemã, esta criação do vício, onde nada cresce espontaneamente, onde toda coisa, boa ou má, é importada com esforço. Não teria eu de tornar-me um *ouriço*? Mas o fato de ter agulhões é uma dissipação, é, por assim dizer, um duplo luxo, quando se pode muito bem prescindir deles, tendo as mãos abertas e estendidas...

Outra medida de prudência e de autodefesa consiste em *reagir o mais raramente possível* e em esquivar-se de situações e de condições nas quais estaríamos condenados ao sacrifício da própria "liberdade", da própria iniciativa, tornando-nos simples órgãos de reação. Tomo como termo de confronto o modo como usamos os livros. O douto que, no fundo, não faz mais do que misturar livros — um filólogo de aptidões medíocres cerca de duzentos por dia —, acaba perdendo completamente a faculdade de pensar por si mesmo. Se não se empanturra com os livros, não pensa. Quando pensa, *atende* ele a um estímulo — um pensamento escrito —; enfim, não faz mais do que reagir. O douto emprega a sua força em dizer "sim" ou "não", em criticar o que já foi pensado por outros; quanto a ele, todavia, não pensa mais... O instinto da autodefesa enfraqueceu-se nele; do contrário, defender-se-ia dos livros. O douto é um decadente. Vi com os meus próprios olhos: naturezas inteligentes, ricas, livres, arruinadas já aos trinta anos pela grande leitura, reduzidos a simples fósforos, que devem ser riscados para dar centelhas, isto é, "ideias". Logo pela manhã, à alvorada, quando o espírito reflui em leveza, ao despertar das energias, pôr-se a ler um livro! Para mim, isto é um Vício!

9

Aqui não se pode mais fazer menos que responder à pergunta "como se chega a ser o que se é?". Com isso, toco à obra-prima na arte da autoconservação, do *egoísmo*... Com efeito, se admitirmos a determinação, a missão particular, o *destino* dessa missão está muito acima da média ordinária, pois não há perigo maior do que dar-se conta de si mesmo e, *conjuntamente*, desta missão. O fato de tornar-se aquilo que se é admite que não se tenha a mais longínqua ideia *daquilo que se é*. Sob esse ponto de vista também os *erros* da vida têm o seu significado e o seu valor, bem como as estradas mais longas e os círculos viciosos, as cogitações, as "modéstias", a seriedade, dissipados pelas finalidades que se situam fora *daquele escopo*. Nisso se manifesta uma grande sabedoria; se a receita segura para perder-se fosse "*nosce te ipsum*", esquecer-se, *menoscabar-se*, diminuir-se, restringir-se, tornar-se medíocre seria encarnar a própria "razão". Para expressar-se com uma fórmula colhida da moral; o amor do próximo, o viver pelos outros etc., *podem* ser as medidas preventivas para a conservação do mais absoluto amor de si mesmo. Este é o caso excepcional no qual eu, contra os meus hábitos e as minhas convicções, defendo os impulsos "altruísticos": aqui eles agem a favor do *egoísmo*, da educação *pessoal*. É necessário possuir toda superfície da consciência — a consciência é uma superfície — vazia de qualquer grande Imperativo. Urge esquivar-se também do emprego de palavras retumbantes, de atitudes heroicas! Como sabemos, existe o perigo de que o instinto se *conheça* muito depressa.

Entrementes, no recôndito, a ideia organizadora, a ideia destinada a dominar, cresce pouco a pouco, começa a impor-se, sai lentamente dos caminhos secundários e dos círculos viciosos, prepara qualidades *originais* e capacidades que certamente se tornarão indispensáveis como meios para chegar-se ao todo, formando, umas após outras, todas as faculdades dependentes, sem deixar intuir qualquer coisa na *tarefa* dominante, na *meta*, no *escopo*, quanto ao significado...

Considerada por esse lado, a vida é simplesmente maravilhosa. Para conseguir-se uma *Transmutação de todos os valores*, é necessário talvez mais faculdades de quantas foram até agora possíveis num só indivíduo; sobretudo, seriam necessárias contradições entre essas faculdades sem que, todavia, por isso se espezinhassem ou se destruíssem entre si. Ordem hierárquica das faculdades, sentido da distância, arte de superar sem inimizar-se; não confundir nada, não "conciliar" nada; uma infinita multiplicidade que todavia é o contrário do caos: foi essa a premissa, o longo trabalho oculto, a operosidade artística do meu instinto. E a sua *alta salvaguarda* se demonstrou fortemente, a ponto de eu, em caso algum, não ter chegado sequer a duvidar do que se desenvolvia em mim: de que todas as minhas faculdades se revelavam de chofre, improvisadamente, na sua perfeição mais elevada.

Não me lembro de fadigas; na minha vida não há sinal de *luta*: sou o contrário de uma natureza "heroica". "Querer" alguma coisa, "aspirar" qualquer coisa, ter um "escopo" ou um "desejo" são coisas que eu não conheço praticamente. Ainda neste momento eu encaro o meu futuro — um *longínquo* futuro! — como se contemplasse um mar tranquilo: nenhum desejo encapela a superfície. Eu não quero, de forma alguma, que qualquer coisa resulte diversa do que é: em mim mesmo, não quero tornar-me diferente... Porém, vivi sempre assim. Nunca tive nenhum desejo. Alguém que aos 44 anos feitos pode dizer que nunca se preocupou com *honrarias*, *mulheres*, *dinheiro*! Não que me faltassem... Assim, por exemplo, um belo dia me vi professor universitário, e não cogitava disso nem mesmo de longe, porque tinha apenas 24 anos. Da mesma forma, dois anos antes, certa ocasião, tornei-me filólogo, pelo fato do meu *primeiro* trabalho de filologia, o meu princípio em qualquer sentido, ter-me sido solicitado pelo meu mestre Ritschl para publicá-lo no seu "Rheinisches Museum" (Ritschl — digo-o com veneração — é o único douto genial que eu conheci até agora. Tinha ele aquela aprazível depravação que nos distingue da Turíngia, que torna simpático até um alemão: para chegarmos à verdade, preferimos também os caminhos mais tortuosos. Com estas palavras não tenciono de modo algum depreciar o meu conterrâneo, o *prudente* Leopold von Ranke).

## 10

Perguntar-se-me-á por que, efetivamente, narrei todas essas coisinhas inexpressivas, segundo o modo de ver tradicional. Isto me atormenta, especialmente se estou destinado a refletir sobre problemas mais transcendentais. Resposta: essas coisinhas — nutrição, lugar, clima, devaneios, a casuística total do egoísmo — são infinitamente mais importantes que tudo aquilo que até agora têm sido considerado como importante. É precisamente aqui que convém *mudar de método*. Tudo aquilo que até agora os homens têm considerado seriamente não é nem mesmo realidade, não é mais do que imaginação, ou constitui mais precisamente um aranzel de *mentiras* produzidas pelos maus instintos de naturezas doentias, nefastas no mais amplo sentido da palavra; assim, todos os conceitos de "deus", "alma", "virtude", "culpa", "além", "verdade", "eternidade"... Contudo, foi nessa terminologia que se procurou a magnitude da natureza humana, a sua "divindade"... Todos os problemas políticos, sociológicos e educacionais são profundamente falseados desde a origem, pelo fato de se tornarem os homens mais nefastos como grandes homens, ensinando-se o desprezo das "pequenas coisas", isto é, das coisas fundamentais da vida...

Todavia, se eu me ponho em confronto com os homens que até agora foram hontados como "*os primeiros*", a diferença resultante entre mim e eles é evidente. Estes pretensos "primeiros", eu (bem a propósito) não os coloco entre os homens; para mim são eles apenas refugos da humanidade, produtos de moléstias e de instintos vingativos; são monstros desventuradíssimos, profundamente incuráveis, que anseiam vingar-se da vida. Eu quero ser o contrário deles: o meu privilégio é o de poder reunir com acuidade de sentido todos os signos dos bons instintos.

Não me atormenta nenhuma morbidez; nem mesmo no decorrer de moléstias graves experimentei o estado mórbido. Em vão se procuraria em mim o mais leve indício de fanatismo. Em nenhum momento de minha vida se me poderá acusar de ter ostentado atitudes arrogantes ou enfáticas. O "pathos" da atitude *não* faz parte da grandeza; em geral, quem tem necessidade de atitudes estudadas é *falso*... Livremo-nos dos homens *esculturais*!

A vida se me tornou fácil; facílima, quando me impunha as coisas mais difíceis. Quem me viu nos sessenta dias deste outono, no qual, ininterruptamente, tenho feito coisas em verdade notáveis, coisas que ninguém poderia imitar — ou ensinar-me —, com uma grande responsabilidade diante de todos os séculos vindouros, não teria notado em mim o mínimo sinal de tensão espiritual, mas, pelo contrário, uma grande disposição e transbordante vivacidade. Nunca comi com mais apetite, nem dormi com maior sossego.

Desconheço melhor meio de atingir os grandes fins do que o *jogo*. É um índice de grandeza essencial. O mínimo esforço, o semblante carregado, uma forte contração dos músculos jugulares são objeções passíveis de sublevar-se contra o homem, e ainda mais contra a sua obra... Não se deve ter nervos... Também *ressentir-se* da solidão é um título desfavorável: eu, por mim, sofri sempre da "multidão"... Desde uma idade absurdamente jovem, aos sete anos, eu sabia que nenhuma palavra humana seria passível de tocar-me; alguém me viu triste devido a uma palavra humana? Ainda hoje tenho a mesma afabilidade para com todos, sendo cheio de cuidados para com os mais humildes; não há nisso tudo um átomo de soberbia ou de desprezo íntimo. Quem é desprezado por mim *adivinha* que eu o desprezo: só com a minha presença eu ponho em agitação todos os que têm mau sangue nas veias...

A minha fórmula para a grandeza do homem é *amor fati*: não se deve procurar outra diversa, quer no futuro ou no passado, nem mesmo para toda a eternidade. Não basta "suportar" o que é necessário, e muito menos menoscabá-lo — todo o idealismo é uma mentira diante da necessidade —; deve-se *amá-lo*...

# Por que escrevo bons livros

1

Eu sou uma coisa; outra é minha obra.

Antes de falar dos meus livros, é necessário dizer algumas palavras acerca do problema da sua compreensão ou incompreensão. Resultará um esforço supérfluo, porque este assunto está longe de sua atualidade. Eu mesmo não sou ainda atual; alguns nascem *póstumos*. Chegará o tempo em que surgirão institutos nos quais se viverá e ensinará aquilo que eu entendo por viver e ensinar; talvez se criarão também cátedras especiais para interpretar *Zaratustra*. Contudo, eu estaria em flagrante contradição comigo mesmo se esperasse encontrar desde já ouvidos e *mãos* dispostos a acolher as *minhas* verdades: que hoje não me ouçam, que não se queira aceitar nada de mim, parece-me não só natural, mas até justo. Não quero ser confuso para com os outros, porque não me confundo eu mesmo. Repito: na minha vida há poucos casos de "desânimo"; também de "desânimo" literário eu não poderia contar um só caso. Por outro lado, fui entediado por muita *ignorância pura*! Parece-me que uma das mais raras distinções que um homem pode tributar-se a si mesmo é a de tomar nas mãos um dos meus livros; imagino que, antes, descalçará as botinas, para não falar de botas...

Certa feita, queixando-se o doutor Heinrich von Stein, sensatamente, de não ter compreendido sequer uma palavra do meu Zaratustra, disse-lhe eu que era natural esse fato, porque entender somente umas seis frases, o que equivaleria a *vivê-las*, realçaria o leitor a um grau de humanidade bem mais alto do que aquele que poderiam alcançar os homens "modernos". Como *poderia* eu, com *semelhante* sentido das distâncias, desejar, ainda que simplesmente, ser lido pelos "modernos", tão meus conhecidos! O meu triunfo é precisamente oposto ao de Schopenhauer; exprimo-me assim "*non legor, non legar*".

Isso não implica afirmar que eu pretenda tolher algo ao prazer que me proporcionou muitas vezes o "candor" com que foram negadas as minhas obras. Ainda no corrente verão, quando eu, com o tom sério, demasiado sério da minha literatura, ameaçava sobrepujar o resto da literatura, um professor da Universidade de Berlim fez-me compreender, com certa benevolência, que eu deveria usar de outra forma na disposição dos meus escritos: porque coisa como a minha ninguém a leria. Ultimamente não foi a Alemanha, mas sim a Suíça que me proporcionou dois casos extremos. Um artigo do doutor V. Widmann sobre *Além do bem e do mal*, publicado no *Bund* sob o título *O perigoso livro de Nietzsche*, e uma resenha geral sobre todas as minhas obras, publicada por Karl Spitteler, também aparecida no *Bund*, representam um *maximum* na minha vida... sendo natural que eu me esquive de dizer *qual* seja esse *maximum*.

Spitteler, por exemplo, considerou o meu *Zaratustra* "*um alto exercício estilístico*", exprimindo o desejo de que, para o futuro, viesse eu a pensar também acerca do conteúdo; o doutor Widmann externou a sua admiração pela coragem com que eu me investia no propósito de abolir todos os sentimentos honrosos. Aqui, para incutir uma pequena malícia em meio do caso, toda proposição — com uma exatidão admirável — era uma verdade revirada; no fundo, não se fazia mais do que "inverter todos os valores" para golpear no ponto vulnerável e com máscula precisão... Por isso, tento explicar-me ainda uma vez.

Afinal de contas, ninguém pode compreender as coisas, inclusive os livros, bem mais do que lhe for dado saber. Aquilo que não se intuiu porque não se viveu é-nos incompreensível. Imaginemos um caso extremo; isto é, que um livro se refira a fatos que estejam completamente fora da possibilidade de uma experiência frequente, ou mesmo rara; que se exprima ele com a *primeira* língua necessária a uma nova série de experiências. Neste caso, não se entenderá absolutamente nada, acrescendo-se a isso a falsa ilusão acústica pela qual se acredita que onde não se compreende nada *não haja mesmo nada*. Tal é a experiência que eu deduzi da maior parte dos casos, sendo ela também, se se quiser, a *originalidade* da minha experiência. Quem acreditava ter entendido alguma coisa do que era meu formou naturalmente uma imagem da minha pessoa a seu modo; quiçá, precisamente o contrário do que eu sou, julgando-me talvez "um idealista"; quem não compreendera nada em meio de minhas coisas dizia naturalmente que se não deveria ligar-me. A palavra "*super-homem*", que determina um tipo de altíssima perfeição, em sentido oposto aos homens "modernos", aos homens "bons", aos "cristãos" e aos demais niilistas — palavra esta que na boca de Zaratustra, do *destrutor* da moral, assume uma significação sobremodo grave —, foi compreendida quase sempre com perfeita candura, no sentido daqueles valores cujo oposto se afirmou na figura de Zaratustra; fizeram eles o tipo "idealista" de uma espécie superior do homem, meio "santo", meio "gênio"... Outros sábios cornudos, por causa desta palavra, suspeitaram-me darwinista. Também do "culto dos heróis" daquele grande moedeiro falso da ciência e da vontade, que foi Carlyle, daquele culto por mim repelido com tanta braveza, encontraram-se algumas pegadas. Se eu segredei aos ouvidos de alguém que seria melhor encontrar ao redor de si um César Bórgia do que descobrir um Parsifal, esse alguém não teria acreditado nas próprias orelhas.

É necessário perdoar-me se eu não sinto curiosidade pelas notícias que se dão acerca dos meus livros, especialmente em relação àquelas que aparecem nos jornais. Os meus amigos, os meus editores, sabem disso e não me dizem nada. Casualmente me foi dado ter às mãos tudo aquilo que se perpetrou contra um único dos meus livros: *Além do bem e do mal*; muitas coisinhas poderia eu dizer nesse sentido. Quem acreditaria que o *National Zeitung* (um jornal prussiano, seja dito para os meus leitores estrangeiros: quanto a mim, diga-se com certa abnegação, não leio senão o *Journal des Débats*) entendeu, bem seriamente, que o livro era um "sinal dos tempos", como que a verdadeira "filosofia da juventude alemã", não faltando ao *Kreuzzeitung* para chegar até lá senão a coragem?

## 2

Valha isso para os alemães; em todos os lugares eu possuo leitores que são verdadeiras inteligências *escolhidas*, caracteres experimentados, educados para grandes destinos e importantes deveres; tenho também verdadeiros gênios entre os que me leem. Em Viena, em São Petersburgo, em Estocolmo, em Copenhague, em Paris, em Nova York, por toda parte estou descoberto: *não* o estou somente no país mais ordinário da Europa — a Alemanha... Devo contudo confessar que prefiro os meus "não leitores" àqueles que nunca ouviram pronunciar o meu nome nem a palavra "filosofia"; entretanto, aonde quer que eu vá (aqui em Turim, por exemplo) todos os semblantes se emocionam e dulcificam ao ver-me. O que até agora mais me tem ufanado é a solicitude de certas velhas vendeiras que não sossegam enquanto não escolhem para mim os melhores bagos de uva. *Até neste ponto* é preciso ser filósofo... Não é em vão que os polacos são chamados de eslavos franceses. Uma russa graciosa não duvidará sequer um momento acerca de minha natureza. É-se impossível tornar-se solene: com muito custo, eu me assemelho a um tímido.

Pensar germanicamente, sentir germanicamente! De tudo eu sou capaz, porém *isto* está bem acima das minhas forças... O meu antigo mestre Ritsche dizia que eu concebia até as minhas dissertações filológicas como um romancista parisiense: de modo interessante até ao absurdo. Mesmo em Paris causam admiração "*toutes mes audaces et finesses*" — a expressão é de Taine —; temo que até nas mais altas formas do ditirambo se encontrará sempre algum resquício daquele que nunca perde o seu sabor alemão: é espirituoso! Não sei o que possa fazer... Valha-me Deus! Amém.

Todo o mundo sabe — e alguns o sabem também por experiência própria — o que seja um animal de orelhas compridas. Pois bem; eu me atrevo a afirmar que possuo as orelhas menores que se possam imaginar. Isso interessa um pouco às mulheres, que talvez se sintam melhor compreendidas por mim. Eu sou o *antiasno* por excelência, e, portanto, um monstro de importância histórica: em grego, e não somente em grego, sou o *Anticristão*...

3

Não me são desconhecidas as minhas qualidades de escritor; em determinados casos compreendi como se *corrompia* o gosto com o manuseio de minha obra. Acaba-se, simplesmente, por não suportar mais a leitura de outros livros, pelo menos os filósofos. É uma distinção poder entrar na familiaridade desse mundo nobre e delicado; para poder ter ingresso nele é preciso não ser alemão; enfim, essa é uma distinção que deve ser merecida. Aqueles que são meus similares pela *altura* do querer se extasiam com o que comigo aprendem: é que eu desço de alturas inatingíveis a qualquer pássaro, conhecendo, além disso, abismos ainda não trilhados pelo pé humano. Disseram-me que é impossível interromper a leitura de um dos meus livros, porque eu perturbo até o repouso noturno. Não existem livros mais soberbos e ao mesmo tempo tão refinados quanto os meus; chegam esses, aqui e acolá, ao ponto mais alto a que se possa chegar: ao cinismo; é necessário, por isso, conquistá-los com dedos delicadíssimos e, ao mesmo tempo, com pulsos valorosos. Todas as enfermidades da alma são excluídas deles uma vez por todas, inclusive qualquer espécie de dispepsia; não se deve ter nervos, mas sim intestinos alegres. Não somente a pobreza e o peso da atmosfera de uma alma se situam bem longe dos meus livros, mas também, e muito mais, a impureza, o recôndito desejo de vingança que se congloba nos intestinos: uma palavra minha é suficiente para pintar à face os mais péssimos instintos.

As minhas relações são para mim, também, objeto de observação nos quais noto as amplas, variegadas e instrutivas reações produzidas pelas minhas obras. Aqueles que não querem fazer algo em relação com os seus conteúdos, principalmente os meus pretensos amigos, tornam-se então "impessoais": congratulam-se comigo porque cheguei ainda uma vez "tão adiante", dizendo-me que se nota neles também um progresso numa maior serenidade de tom. Os "espíritos" completamente viciados, as "belas almas", os mentirosos convencidos, não sabem absolutamente o que fazer com os meus livros; por conseguinte, têm-nos em conta de alguma coisa que esteja abaixo deles: é a lógica sarapintada de todas as "belas almas". Os animais de maior vulto entre os meus conhecidos — todos alemães, seja dito entre nós — dão a entender que nem sempre se pode estar a meu favor, mas que todavia, aqui e ali... Ouvi dizer isso até acerca do Zaratustra!... Dessa forma, toda feminilidade "dos homens", e também no homem, é uma barreira para chegar a mim: não se poderá penetrar jamais neste labirinto de conhecimentos audaciosos.

É preciso não se poupar nunca, é necessário possuir a *rudez* entre os nossos hábitos para ter alegria e ânimo sadios em meio de verdades realmente duríssimas. Se tento afigurar-me o tipo de um leitor perfeito, faço-o sempre um monstro de coragem e de curiosidade, com algo mais de agilidade, astúcia e circunspecção: um aventureiro e explorador nato. Enfim, eu não sei realmente dizer melhor do que Zaratustra, a quem me dirijo e a quem unicamente quer ele referir o seu enigma:

> A vós, audazes pesquisadores e tentadores, e a todos os que sulcaram mares tremendos com velas astutas;
>
> a vós, ébrios de enigmas, contentes da penumbra, cuja alma se sente atraída pelo som das flautas a todas as voragens perigosas:
>
> por que não quereis seguir cegamente e com mão incerta um fio condutor; e onde quer que possais *adivinhar*, fingis de escancarar as portas?

4

Ainda uma palavra, generalizando acerca da minha *arte do estilo*. Comunicar um estado d'alma, uma tensão interna do sentimento por meio de sinais — inclusive o "tempo" destes sinais —: eis o que é o estilo; é, desde a multiplicidade dos estados interiores, extraordinária em mim, eu tenho a possibilidade de usar muitos estilos; possuo, em suma, a mais complexa arte do estilo que jamais homem algum possuiu. *Bom* é todo o estilo que exprime verdadeiramente um estado interior, que não se engana acerca dos sinais, do "tempo" dos sinais, das atitudes: todas as leis do período são uma arte das atitudes. Aqui, o meu instinto se apresenta como infalível.

O belo estilo *por si mesmo* é uma pura asneira, simples "idealismo", alguma coisa como o "belo *em* si" ou "o bom *em* si" ou "a coisa *em* si"... Permitindo sempre que existam ouvidos; que hajam indivíduos capazes e dignos de uma emoção, que não faltem aqueles com os quais seja *possível* comunicação. O meu Zaratustra, por exemplo, ainda anda procurando estes tais...; ah! resta ainda muito a pesquisar! É necessário sermos *dignos* de ouvi-lo. Até aquele momento, não haverá ninguém capaz de compreender a *arte* que ali se explana: ninguém nunca teve de desenvolver tantos matizes artísticos: tão novos, inauditos, criados verdadeiramente pela circunstância. Restava ainda a oportunidade de demonstrar que uma coisa semelhante era possível somente em alemão: antes de tudo, eu me esquivaria energicamente de acreditar em tal. Antes de mim não se sabia o que se pode fazer com a língua germânica — com uma língua, no sentido geral. A arte do *grande* ritmo, o grande *estilo* na confecção dos períodos, para exprimir um enorme "crescendo" e "diminuendo" de paixão sublime, sobre-humana, foi descoberta unicamente por mim; com um ditirambo como é o último do *terceiro* livro do Zaratustra, aquele que se intitula "Os sete selos", eu ascendi mil milhas acima do que então se chamava poesia.

## 5

Que alhures se fale dos meus escritos em *psicólogo*, dizendo não haver iguais, é talvez a primeira convicção que domina um bom leitor, que, como eu mereço, me leia como os bons velhos filólogos liam o seu Horácio. As afirmações acerca das quais todos estão de acordo — para não falar dos filósofos de todo o cosmo, dos moralistas e de outras cabeças ocas, cabeças de nabo — concluem que das minhas obras resultam erros, o que é produto da ingenuidade: por exemplo, a crença que "altruísta" e "egoísta" sejam termos antitéticos, enquanto o "ego" por si mesmo não é senão um "supremo engano", um "ideal". Não há ações egoístas *nem* ações altruístas: esses dois conceitos são, psicologicamente, um contrassenso, como as frases: "o homem se inclina para a felicidade...", ou "a felicidade é o prêmio da virtude...", ou "prazer e pena são antitéticos...". A crise da humanidade, em moral, falseou fundamentalmente toda a psicologia — *desmoralizou-a* — até chegar ao horrível sentido negativo de que o amor deva ser alguma coisa de "não egoístico". É necessário estar-se bem seguros de *si mesmos*, bem firmes nas pernas, pois do contrário não se *pode* absolutamente amar. Sabem-no as mulheres até demais: não sabem, entretanto, que fazer de homens desinteressados, de homens puramente objetivos...

Chegando a este ponto, poderei eu afirmar, ousadamente, que *conheço* as mulherzinhas? Isso faz parte do meu dote dionisíaco. Quem sabe não serei eu o primeiro psicólogo do eterno feminino?! Amam-me todas, o que é uma velha história; menos as desgraçadas, as "emancipadas", às quais falta a fibra para dar filhos ao mundo. Afortunadamente, não penso de modo algum deixar-me dilacerar: a mulher perfeita, quando ama, destrói. Conheço estas amáveis Mênades... Ah!, que animaizinhos rapaces, perigosos, rastejantes, subterrâneos! e, todavia, tão queridinhos!, Uma mulherzinha que persevera na sua vingança seria capaz de mudar até o destino... A mulher é infinitamente mais má do que o homem; e é também mais prudente: a *bondade*, na mulher, é já uma forma de *degeneração*.

Em todas as chamadas "belas almas" há reconditamente algum desequilíbrio fisiológico; não digo mais para não tornar-me "medical". A luta pela *paridade* dos direitos é um sintoma acabado de enfermidade: sabem-no os médicos. A mulher quanto mais mulher é tanto mais se defende com as mãos e com os pés contra tudo o que for direito no estado de natureza, a eterna *guerra* entre os sexos lhe dá há muito o primeiro lugar.

Ouviu-se a minha definição do amor? É a única digna de um filósofo. O amor — nos meios é a guerra, na essência o ódio mortal dos sexos. Escutou-se a minha resposta à pergunta: como se deve fazer para *curar*, "salvar" uma mulher? Faz-se-lhe um filho. A mulher tem necessidade de filhos; o homem é sempre apenas um meio: assim falou Zaratustra. — A "emancipação da mulher" é o ódio instintivo da mulher *fracassada*, isto é, incapaz de procriar, contra a mulher completa: a luta contra o homem é sempre apenas um meio, um pretexto, uma artimanha estratégica. Enquanto se exaltam a si *próprias* como "mulheres em si", "mulheres superiores", "mulheres idealistas", tendem elas a *abaixar* o nível médio da mulher: não há meio mais seguro para chegar a isso do que a educação ginasial, as calças e os direitos da grande besta eleitoral. No fundo, as mulheres emancipadas são os anarquistas do mundo eterno feminino. Constituem toda uma categoria desse "idealismo" da pior espécie — que, por outro lado, também é encontrado em certa classe de homens, como por exemplo em Henrik Ibsen, esta figura típica de solteirona —, tem por escopo *envenenar* a consciência sã, a natureza, no amor sexual.

Para não deixar pairar qualquer dúvida acerca do meu modo de pensar neste assunto, tão honesto quanto severo, quero expor ainda um artigo do meu código moral, contra o *vício*: com a palavra "vício" indico qualquer espécie de coisas atentantes contra a natureza ou, para quem ama as belas frases, de idealismo. O artigo diz assim: "Pregar a castidade é um incitamento público a atos contra a natureza. O desprezo da vida sexual, inculcá-lo com o conceito de 'impureza', é um verdadeiro delito contra a vida, constitui um verdadeiro pecado contra o espírito santo da vida."

## 6

Finalmente, para dar uma ideia de minha individualidade como psicólogo, tomo um curioso trecho do *Além do bem e do mal*, sem contudo permitir, absolutamente, que se formulem suposições acerca do que eu quis descrever:

> O gênio do coração, tal como o possui aquele grande incógnito, o deus tentador e receptador das consciências, cuja voz sabe descer até as últimas trevas da alma, que não diz uma única palavra, que não lança um só olhar no qual não haja uma dupla intenção sedutora, cuja mestria especial é aquela de saber revelar-se, não o que ele é, mas sim aquilo que para os que o seguem se torna um constrangimento a *mais* para vinculá-los sempre em redor de si, a fim de segui-lo mais íntima e radicalmente...
>
> O gênio do coração que faz amainar todas as vozes altissonantes e vaidosas, que ensinam a ouvir em silêncio, que alisa as almas enrugadas, ensinando-lhes um novo desejo: o desejo de ficar quieto e jazer, como um espelho-d'água onde se reflita o céu profundo e calmo...
>
> O gênio do coração que ensina à mão torpe e impulsiva como deve conter-se e ser mais delicada; que sabe adivinhar o tesouro oculto e olvidado, a gota de bondade e de doce espiritualismo escondida debaixo da camada sólida do gelo; que é uma varinha mágica que atrai as pepitas de ouro soterradas há muito tempo no lodo e na areia...
>
> O gênio do coração de cujo contato todos saem mais ricos, não abençoado e surpreendido, não feliz e oprimido por ter obtido um bem alheio, mas sim mais rico de si mesmo, renovado, reflorido, beijado e compenetrado quase pelo sopro de um zéfiro mais tenro, mais frágil, ainda cheio de esperanças sem nome, *cheio* de intenções, repleto de novas vontades e de novas energias, transbordante de desdéns novos e de reações originais...

## O nascimento da tragédia

### 1

Para formar um juízo exato acerca de *O nascimento da tragédia* (1872), é preciso esquecer certas coisas. Essa obra causou *certo* efeito, tendo até fascinado com o que nela havia de errôneo, dada a sua aplicação ao *wagnerismo*, como se fosse um sintoma de algo que começa. Precisamente por isso essa obra representou um acontecimento relevante na vida de Wagner: somente depois de sua publicação começou-se a ter o nome de Wagner como uma esperança. Ainda hoje recordo-me das discussões acerca do *Parsifal*, que é verdadeiramente culpa *minha* se prevaleceu uma opinião tão alta sobre o *valor cultural* deste movimento. Vi por várias vezes citada a minha obra com o subtítulo de "Renascimento da tragédia pelo espírito da música"; olhou-se somente para a nova fórmula da arte, para as intenções, com o escopo *wagneriano*, não se tendo observado aquilo que esse livro continha de importante. "Helenismo e pessimismo" — seria um título mais preciso, dado que ensina pela primeira vez como os gregos se libertaram do pessimismo, com que meios o *superaram*... A tragédia é uma prova precisa que os gregos não eram pessimistas; Schopenhauer enganou-se nesse particular, como sempre se enganou em tudo.

Considerada com certa imparcialidade, *O nascimento da tragédia* mostra-se bem pouco concorde com os tempos em que foi escrita: ninguém sonharia em dizer que ela foi *começada* em meio do ribombar da batalha de Worth. Meditei *acerca* destes problemas bem rente dos muros de Metz, nas frígidas noites de setembro, em meio a ocupações da brigada sanitária, da qual eu então fazia parte: acreditar-se-ia que essa obra fosse cinquenta anos mais velha; politicamente, ela é indiferente — não alemã, dir-se-ia hoje —, pois tem um repugnante cheiro de hegelismo, sendo impregnada somente em certas fórmulas desse perfume cadavérico, próprio de Schopenhauer. Uma "ideia" — antítese entre dionisíaco e apolíneo — expressa em linguagem metafísica; a própria história considerada como o desenvolvimento desta ideia; a antítese, com a unidade, suprimida, como na tragédia; e sob tal luz coisas que nunca se olharam à face, postas diante do improviso, iluminadas, *compreendidas* uma graças à outra. Por exemplo: a ópera e a revolução.

Entre as duas importantes *inovações* trazidas por este livro, a primeira é a interpretação do fenômeno *dionisíaco* entre os *gregos* — revela, também, pela primeira vez, a psicologia; dá também uma das raízes da arte grega —; a *segunda*, é a interpretação do socratismo: Sócrates é ali reconhecido pela primeira vez como instrumento da decomposição grega com tipo do decadente. O "raciocínio" em oposição ao instinto.

A todo custo, a "sensatez" é perigosa, constituindo uma força destruidora da vida! Silêncio profundo, hostil, sobre o cristianismo, no decurso de todo o livro: este não é apolíneo nem dionisíaco, porque *nega* todos os valores *estéticos*, os únicos valores que *O nascimento da tragédia* admite; é, antes, niilista no mais amplo significado da palavra, enquanto no símbolo dionisíaco se atinge o limite extremo da *afirmação*. Só uma vez se alude aos sacerdotes cristãos como uma "raça maligna de anões", de "seres subterrâneos".

## 2

Este início é sobremodo singular. Pela minha experiência íntima, fora-me dado descobrir o único símbolo e paralelo que à história é dado possuir, tendo sido também o primeiro a conceber o maravilhoso fenômeno dionisíaco. Ao mesmo tempo, pelo fato de ter reconhecido Sócrates como um decadente, experimentara de maneira indubitável quão pouco o meu instinto psicológico estava ameaçado por qualquer idiossincrasia moral: a própria moral, considerada como sintoma de decadência, é uma inovação, uma particularidade de primeira ordem na história da consciência. Como passara alto, de um só pulo, em todos os dois casos, acima das conversas fiadas do otimismo contra o pessimismo!

Fui eu o primeiro a descobrir a verdadeira antítese: o instinto *degenerante* que se lança contra a vida com um recôndito desejo de vingança (o cristianismo, a filosofia de Schopenhauer, de certo modo também a filosofia de Platão e todo o idealismo como formas típicas) e uma fórmula de *afirmação suprema*, nascida da abundância, da superabundância, uma afirmação irrestrita acerca da dor, também a culpa, além de tudo aquilo que há de estranho e de enigmático na vida... Esta última afirmação da vida — divertidíssima, impetuosíssima e desenfreadíssima — não é somente o mais alto, mas é ainda o mais profundo entendimento, exatamente confirmado e sustentado pela verdade e pela ciência. Não se pode renunciar a nada do que existe, não sendo dado também prescindir de algo; os aspectos da vida negados pelos cristãos e pelos niilistas estão infinitamente acima, na hierarquia dos trabalhos, daqueles que o instinto de decadência pode aprovar, *julgar bons*. Para compreender isso é necessário coragem; e (condição para a coragem) um *acesso* de força: o que se situa de acordo com a distância até onde se pode distender, paulatinamente, a coragem, em conformidade com a medida da força, que se avizinha mais ou menos da verdade. O conhecimento, a afirmação da realidade é para o homem forte uma necessidade; do mesmo modo, para o débil, precisamente, por causa da fraqueza, são necessárias a velhacaria e a *fuga* diante da verdade, isto é, o "ideal". Não lhes é facultado o conhecimento de certas coisas: os decadentes têm *necessidade* da mentira; para eles essa constitui uma condição de vida. Quem não somente entende a significação da palavra "dionisíaco", mas ainda encontra aí a sua própria personalidade, não tem necessidade da confutação de Platão, do cristianismo ou de Schopenhauer: *cheirará plenamente à putrefação...*

3

Até que ponto me fora dado saber o verdadeiro conceito de "trágico", a noção definitiva do que seja a psicologia da tragédia dei-a eu ultimamente no *Crepúsculo dos ídolos*:

> A afirmação da vida, também nos seus mais estranhos, mais árduos problemas, a vontade de viver fruindo o *sacrifício* dos mais altos tipos produzidos pela sua inexauribilidade, *isso tudo* era para mim dionisíaco, era a ponte de passagem para chegar à psicologia do poeta *trágico*. Contudo, *não* para libertar-se do temor e da piedade, não para purificar-se de uma paixão perigosa com um gesto violento — neste sentido bem mal a interpretou Aristóteles —, mas sim para *ser ele mesmo*, acima do temor e da piedade, a eterna alegria do porvir, aquela alegria que encerra em si também a *alegria da destruição*.

Nesse sentido, tenho o direito de considerar-me o primeiro *filósofo trágico*, isto é, a perfeita antítese de um filósofo pessimista. Antes de mim, esta passagem da emoção dionisíaca à emoção filosófica não existia: faltava a *sapiência trágica*. Dela procurei em vão os mínimos traços, mesmo entre os grandes filósofos gregos, os dos dois séculos anteriores a Sócrates. Restava-me uma dúvida acerca de *Heráclito*, vizinho ao qual eu me sinto mais acalentado, mais à vontade do que em qualquer outro lugar. A afirmação do aniquilamento e da *destruição* — o que mais importa em uma filosofia dionisíaca —, a aceitação da oposição e da guerra, o *porvir*, com degeneração racial, até do conceito do "*ser*", nisso devo reconhecer, em qualquer caso, o que até agora se pensou mais rente de minhas ideias. Poderia dar-se o caso que a doutrina de Zaratustra — no final das contas já tivesse sido ensinada. Pelo menos o estoicismo, que herdou de Heráclito quase todas as ideias fundamentais, conservou alguns traços.

4

Nesta obra se manifesta uma grandiosa esperança. Não há, enfim, nenhuma razão que me leve a renunciá-la, desesperando acerca do porvir dionisíaco da música. Lancemos o nosso olhar a um século vizinho ao nosso, admitamos que o meu atentado contra dois milênios de violações da natureza e da humanidade surta efeito.

Essa nova parte da vida, que terá a mais elevada de todas as finalidades, o aperfeiçoamento da humanidade — inclusive a destruição impiedosa de tudo o que for degenerado e parasitário —, tornará ainda mais possível aquele *excedente da vida*, do qual também renascerá o ato dionisíaco. Eu anuncio o advento de uma era *trágica*: a arte mais sublime na afirmação da vida, a tragédia, renascerá quando a humanidade, *sem sofrimento*, tiver atrás de si a consciência de ter sustentado as guerras mais rudes e mais necessárias.

Um psicólogo poderia também acrescentar que aquilo que eu ouvi na minha juventude como música de Wagner não tem nada de comum com Wagner; que, quando descrevi o que eu senti, instintivamente, deveria reduzir e transfigurar toda a coisa de acordo com o novo espírito que se animava em mim. Uma prova disso, *forte como só pode ser uma prova*, é o meu livro *Wagner em Bayreuth*. Nos seus trechos mais importantes, psicologicamente, só se fala de mim; sem o menor escrúpulo se pode substituir o meu nome ou a palavra "Zaratustra" por toda a parte na qual o texto traz o nome de Wagner. Toda a imagem do poeta *ditirâmbico* é a imagem do poeta preexistente de Zaratustra, desenhada com imensa profundeza e sem o mínimo ponto de contato com a realidade wagneriana. Compreendeu-o o próprio Wagner: não conseguiu reconhecer-se na minha obra. Entrementes, "o pensamento de Bayreuth" transformou-se em uma coisa que não pode resultar difícil quanto à sua compreensão aos conhecedores do meu Zaratustra: naquele grande *meio-dia* em que os eleitos entre os eleitos se consagram ao mais alto de todos os deveres.

Quem sabe? Será talvez a visão de uma festa a que me for dado assistir. A ênfase das primeiras páginas pertence definitivamente à história; o *vislumbre* é precisamente o olhar de Zaratustra; Wagner, Bayreuth e todas as demais inépcias alemãs são uma nuvem em que se espelha uma infinita miragem do futuro. Também psicologicamente todos os traços característicos da minha própria natureza são atribuídos à de Wagner: isto é, a coexistência das forças mais nobres e fatais, a vontade de poder em grau tal que nunca a possuiu um homem, uma coragem desenfreada em coisas espirituais, uma força ilimitada de aprender, o que não deprime a vontade de agir.

Nessa obra, tudo parece prenunciar alguma coisa: o próximo renascimento do espírito grego, a necessidade de anti-Alexandres capazes de refazer o nó gordiano da civilização grega, depois de tê-lo cortado... Note-se o acento verdadeiramente universal para inculcar o "sentimento trágico"; há nessa obra expressões amplamente históricas. Essa "objetividade" é a mais estranha que se possa imaginar: a certeza absoluta do que eu *sou* se refletia sobre qualquer realidade casual. A verdade, a meu modo, reflui de um abismo insondável e medonho. À página 70 se descreve antecipadamente, com uma segurança incisiva, *o estilo* de Zaratustra; e jamais se encontrará uma impressão mais grandiosa do *fenômeno* Zaratustra — desse ato de prodigiosa purificação e consagração da humanidade — do que aquela que se lê às páginas 41 a 44.[1]

## As considerações intempestivas

### 1

As quatro *intempestivas* são escritos essencialmente polêmicos. Demonstram que eu não era um sonhador, que me apraz também esgrimir a espada; talvez eu tenha o pulso perigosamente intrépido. O *primeiro* assalto (1873) foi dirigido contra a cultura alemã, que já então era considerada por mim com um desprezo ilimitado. Era uma coisa destituída de sentido: sem substância e sem escopo — uma simples "opinião pública". Não há mal-entendido mais nocivo do que acreditar que os grandes feitos dos exércitos alemães signifiquem algo a favor dessa cultura e muito menos no concernente à sua vitória contra a França.

A *segunda* intempestiva (1874) põe à mostra o que é perigoso, o que corrói e envenena a vida nesse hábito tão nosso de cultivar ciência: a vida, molestada por causa dessa engrenagem, desse mecanismo destituído de personalidade, devido a despersonalidade do trabalhador e da falsa economia na "divisão do trabalho". O fim: a cultura perde-se; o meio: o movimento científico moderno barbarizou-se. Nesta dissertação, o "sentido histórico", que tanto ufana o nosso século, é apresentado pela primeira vez como uma moléstia, como um sinal típico de decadência.

Na *terceira* e na *quarta* intempestiva, como índices de um conceito superior de cultura, do restabelecimento do conceito de "*cultura*",

[1] As páginas das *Considerações extemporâneas* da 1ª edição de "Richard Wagner em Bayreuth" são citadas por Nietzsche.

são opostos dois casos de *egoísmo*, de educação de *si mesmos*, dois tipos fora do seu tempo por excelência, cheios de soberano desprezo por tudo aquilo que ao redor deles se chamava "império", "cultura", "cristianismo", "Bismarck", "sucesso", digo: Schopenhauer e Wagner ou, *então*, com uma só palavra, Nietzsche.

## 2

O primeiro destes quatro atentados teve um extraordinário sucesso. O rumor que produziu foi magnífico sob todo o ponto de vista. Toquei com ele no ponto vulnerável de uma nação vitoriosa, demonstrando que a sua vitória *não* constituía um acontecimento na história da cultura, mas, sim, talvez, coisa bem diversa...

As réplicas afluíram de todas as partes, e não só, além do resto, dos velhos amigos de David Strauss que eu pusera a ridículo como o verdadeiro tipo do satisfeito, de um filisteu da cultura alemã, resumindo, o autor daquele evangelho de cervejaria que se intitula *A antiga e a nova fé*. (A expressão "filisteu da cultura" passou a ser de domínio público depois da publicação do meu livro.) Esses velhos amigos, aos quais, como wurtembergueses e bávaros, tinha eu dado um fundo golpe achando ridículo o seu prodígio, o seu Strauss, responderam com a plena honestidade e a grosseria que eu desejara; os prussianos retrucaram com maior prudência: havia nas suas respostas algo do "azul berlinense". Um periódico de Leipzig se saiu com as verrinas mais abjetas — periódico aliás dos famigerados "Grenzboten" —; não pouco trabalho me custou também conter os de Basileia, indignados, ansiosos até de desforços aparatosos.

A meu favor só se decidiram incondicionalmente alguns senhores anciãos, por motivos diversos e, em parte, inexplicáveis. Entre estes figurava Evaldo de Estrasburgo, que deixou perceber que o meu ataque fora mortal para Strauss. Da mesma forma se expressou o antigo hegeliano Bruno Bauer, que desde então se tornou um dos meus mais atentos leitores. Comprazia-se ele nos seus últimos anos de vida a ter-me como ponto de apoio para molestar Von Treitschke, o historiador prussiano, indicando-lhe onde poderia encontrar o conceito de "cultura", que perdera. As mais graves e mais extensas coisas acerca da obra e do seu autor foram ditas por um antigo discípulo do filósofo Von Baader, certo professor Hoffmann, de Würzburgo. Pressentia ele em mim uma vocação relevante: produzir uma espécie de crise decisiva no problema do ateísmo, do qual ele me adivinhava como um dos campeões mais instintivos e audazes. Era o ateísmo que me conduzia a Schopenhauer...

Ouvido com a maior atenção e complacência, mas sentido com grande amargura, foi um artigo a meu favor, sobremodo forte e corajoso, de Karl Hillebrand, habitualmente tão calmo, deste último *humanista*, que sabia manejar a pena intrepidamente. Apareceu o estudo na *Gazeta de Augsburgo*, podendo-se entretanto lê-lo ainda hoje, de modo um pouco atenuado, nas suas *Obras completas*.

A minha obra é ali apresentada como um acontecimento, uma crise, um autoconhecimento inicial, um ótimo sintoma, um verdadeiro *retorno* da seriedade alemã e da paixão desse povo em coisas do espírito. Hillebrand se extravasa em elogios elevados sobre a forma do meu livro, a maturidade do seu gosto, o seu perfeito tato em distinguir a pessoa da coisa; louvava-a como o melhor trabalho polêmico escrito em tudesco, nessa arte da polêmica desaconselhável, pelos inúmeros perigos que encerra, precisamente para os alemães...

Aceitando incondicionalmente, ou antes acentuando aquilo que eu ousara dizer sobre o aviltamento da língua na Alemanha (hoje bancam os puristas, mas não sabem ligar duas preposições), cheio também ele de nojo para com os "principais escritores" dessa nação, terminava exprimindo a sua admiração pela minha *coragem*, por aquela "altíssima ousadia que arrastava ao banco dos réus precisamente os ídolos de um povo".

A influência dessa obra sobre a minha vida ulterior foi realmente inestimável. Até agora ninguém tentou travar luta comigo. Silencia-se; trata-se do meu nome, na Alemanha, com uma prudência astuta: e há anos venho eu usando de plena liberdade na palavra, liberdade para a qual hoje ninguém, pelo menos no "Império", tem língua suficientemente destacada... O meu paraíso está na "sombra da minha espada". No fundo, fora-me dado pôr em uso certa máxima de Stendhal, que aconselha a prática de um *duelo* a quem quiser ingressar sensacionalmente na sociedade.

Como me seria dado escolher admiravelmente bem o meu adversário — o primeiro livre-pensador da Alemanha! Com efeito, era a primeira vez que uma nova espécie de livre-pensamento lograva exprimir-se com absoluta precisão. Daí o mérito do meu livro. Até hoje não conheci nada mais estranho e distanciado de mim do que toda a casta, europeia ou americana, dos "*libres penseurs*". Entre mim e eles — incorrigíveis cabeças de vento, palhaços das "ideias modernas" —, há um abismo mais profundo do que o que porventura existe entre eles e qualquer outro dos seus adversários. Também estes pretendem, a seu modo, "melhorar" a "humanidade" à sua imagem. Declarariam guerra de morte ao que eu *sou* se pudessem compreender o que eu *quero*; acreditam todos, ainda, no "Ideal"... Eu sou o primeiro *imoralista*.

3

Não tenho a presunção de sustentar — exceção feita, naturalmente, de algumas coisas — que as duas intempestivas encabeçadas com os nomes de Schopenhauer e Wagner possam responder à inteligência especial ou também simplesmente situar os problemas psicológicos dos dois casos. Dessa forma, por exemplo, com profunda segurança instintiva, o fundo da natureza wagneriana caracteriza-se, precisamente neste ponto, como um temperamento, um dom de comediante, que nos seus meios e na sua finalidade é sempre consequente a si mesma.

Em verdade, com esses estudos eu desejava fazer coisa bem diversa de psicologia: um problema de educação sem similar, um novo conceito da educação de *si mesmo*, da *autodefesa* levada até a rispidez, um caminho para a Grandeza, para o cumprimento dos Deveres, procuravam nesta altura a sua primeira expressão. Considerado tudo isso, eu não fiz mais do que agarrar pelos cabelos os tipos célebres e não fixados ainda, como se aproveita de uma ocasião única, para dizer alguma coisa, a fim de ter às mãos determinadas fórmulas, sinais e meios de expressão mais ajustados. De tudo isso se faz menção com uma sagacidade verdadeiramente inquietadora à página 83 da terceira intempestiva. Do mesmo modo Platão se serviu de Sócrates como uma *semiótica* para Platão.

Agora que eu observo de certa distância as circunstâncias com que essas obras foram escritas, vendo-as como índices, não posso negar que eles apenas falam de minha pessoa. *Wagner em Bayreuth* é uma visão do meu futuro, enquanto que em *Schopenhauer como educador* vem narrada a minha história inteira, o meu *porvir*, especialmente o meu *voto*! O que *eu* sou agora; *onde* estou presentemente: em altitude onde não tenho mais colóquios, não me exprimo com palavras, mas dialogo silentemente com os trovões; ah!, como estava eu então longe, bem longe de tudo isto! Porém, eu via a *terra*, eu não me enganei um só instante no caminho a trilhar, no mar encapelado, no perigo ou no êxito. A calma intangível da promessa, essa feliz perspectiva do futuro não deve ficar em simples promessa! Nessa passagem, toda palavra é sentida, profunda, íntima, não faltando as coisas mais dolorosas, havendo até expressões realmente sanguíneas; mas uma rajada de grande liberdade sopra sobre tudo isso!

Acerca do meu modo de entender o filósofo — como terrível ingrediente explosivo que ponha em risco as coisas —, sobre o meu conceito do "filósofo", as mil milhas que o separam do conceito formulado por Kant — para não falar das cavalgaduras, dos "ruminantes" acadêmicos e dos outros professores catedráticos de filosofia —, sobretudo isso essa obra dá ensinadelas apreciáveis, admitindo, todavia, que não se trate aí de "Schopenhauer como educador", mas do seu antípoda, de "Nietzsche como educador". Ponderando-se que então a minha ocupação era a do douto e que como tal eu *considerava* esse ofício, não é destituído de interesse este áspero trecho da psicologia do douto que surge ab-ruptamente nessa obra: ele exprime o *sentido* da *distância*, a plena segurança do que seja o meu *escopo* e do que pode ser somente o meio, a trégua, o trabalho acessório. A minha sapiência foi a de ser muitas coisas e em locais diversos para poder tornar-me *Uno*, para poder atingir *uma* coisa. Durante algum tempo *fui forçado* a ser um douto.

## Humano, demasiado humano

### 1

Com as suas continuações, que são duas, *Humano, demasiado humano* é o monumento comemorativo de uma crise. Como subtítulo traz essa obra: livro dedicado aos espíritos livres. Quase todas as suas proposições exprimem uma vitória; libertei-me com ele de tudo o que era estranho à minha *natureza.* Para mim, todo o idealismo é exótico. Diz o título do livro: "onde *vedes* coisas ideais, eu *vejo* coisas humanas, ah!, sobremodo humanas..." Eu conheço *melhor* do que vós o homem. A expressão "espírito livre" não significa aí mais do que espírito *libertado*, espírito que retomou o domínio de si mesmo.

O tom mudou completamente; por isso se julgará o meu livro prudente, frio, às vezes duro e irônico. Certa espiritualidade de bom gosto, *aristocrática*, parece dominar continuamente uma paixão mais violenta que se agita subterraneamente. Sob esse aspecto, não é inexpressivo que precisamente o centenário da morte de Voltaire venha servir, de certo modo, de pretexto para a publicação do livro, em 1878. Voltaire é uma antítese a tudo o que sobre ele se escreveu, o grão-senhor do espírito: precisamente como eu o sou. O nome de Voltaire em uma das minhas obras era realmente um progresso... para o meu lado...

Observando mais atentamente, descobre-se um espírito impiedoso, que conhece todos os esconderijos onde se oculta o ideal, onde tem as suas grilhetas e, conjuntamente, o seu último refúgio seguro. Com um archote, que todavia não projeta uma luz *desarchotada*, ilumina-se de um clarão estonteante todo este mundo subterrâneo do ideal. É a guerra, mas uma guerra sem poeira e sem fumaça, sem rompantes bélicos, sem ênfases e contorções: tudo isso seria ainda um "idealismo". Um erro depois do outro vai sendo posto tranquilamente no gelo; o Ideal não é refutado: *gela*. Aqui, por exemplo, vejo congelar-se o "gênio"; voltai a face, gela o "santo"; debaixo de uma geladeira também gela o "herói"; enfim, gela a "fé", a chamada "convicção"; resfria-se consideravelmente a "piedade"; quase por toda parte gela a "coisa em si mesma".

2

A origem desse livro reponta das primeiras representações solenes de Bayreuth; a certeza de que me era completamente estranho tudo o que me rodeava foi uma das premissas naturais da sua gestação. Quem tiver uma ideia das visões que desde então se sobrelevaram no meu caminho pode adivinhar o que senti quando uma bela manhã despertei em Bayreuth. Parecia até estar sonhando. Onde eu me encontrava? Não me era possível reconhecer coisa alguma; apenas me era dado vislumbrar Wagner. Respirava inutilmente a minha memória. Tribschen, uma longínqua ilha de felicidade: nem sequer uma sombra de parecença... Os dias incomparáveis da colocação da primeira pedra, o pequeno grupo dos *iniciados* que a festejou e que não tinha necessidade de dedos para indicar as coisas sutis: nem mesmo a sombra de uma parecença. Que acontecera? Traduzira-se Wagner em alemão! O wagneriano se tornara patrão de Wagner!!!

A arte *alemã*! O Maestro *alemão*! A cerveja *alemã*!...

Sabíamos nós até bem demais a que artistas refinados, a que cosmopolitismo do gosto se destina a arte de Wagner; estávamos fora de nós mesmos quando ali se nos deparara um Wagner ornado de "virtudes" alemãs. Eu presumo conhecer bem os wagnerianos; "convivi" com três gerações deles, desde o finado Brendel, que confundia Wagner com Hegel, até a dos idealistas do "Bayreutheur Blatter", que confundem Wagner com eles mesmos; ouvi toda a espécie de confissões de "belas almas" acerca de Wagner. Um reino por uma palavra sensata! Na verdade, uma tertúlia de arrepiar os cabelos. Nohl, Pohl, Kohl e outros cabeças de couve-flor multiplicadas ao infinito! Não faltam abortos de qualquer gênero, nem mesmo os antissemitas. Pobre Wagner! Até onde chegara! Fosse dar pelo menos em meio de suínos! Mas... entre alemães!...

Finalmente, para educação dos pósteros, dever-se-ia embalsamar um autêntico habitante de Bayreuth — melhor ainda, pô-lo num recipiente com álcool, com espírito de vinho, dado que falta o espírito — com a etiqueta seguinte: "Espécie do 'espírito' sob cujo impulso se fundou o 'Império'..." Basta; em meio destas festas eu parti, se bem uma graciosa parisiense fizesse o possível para consolar-me; apresentei as minhas desculpas a Wagner somente com um telegrama fatalista. Em aprazível recanto da Selva da Boêmia, perdido entre os bosques, em Klingenbrunn, embalei a minha melancolia e o meu desprezo pelos alemães, como se fosse uma enfermidade; e, de bocado em bocado, sob o título complexivo de "relha do arado", escrevia no meu livrinho algum pensamento — somente pensamentos mórbidos — de psicologia que, talvez, ainda é possível sejam encontrados no *Humano, demasiado humano*.

3

O que se passou então de decisivo em mim não resultou da ruptura com Wagner: tive a intuição de uma aberração generalizada do meu instinto, sendo a suma desses erros — como se se denominassem Wagner ou o professorado de Basileia — apenas um índice. Tomei-me de *impaciência* contra mim mesmo; compreendi então que era tempo de tornar a ser *eu mesmo*. Vi de um golpe, com clareza impressionante, quanto tempo já se dissipara, como se afigurava inútil, arbitrária — em relação ao fim a que me propunha — toda a minha existência de filósofo. Dez anos de vida atrás de mim, nos quais a *nutrição* do meu espírito paralisara completamente, durante os quais nada aprendera de bom, tendo até esquecido numerosas coisas devido à grande confusão de doutrinas poeirentas. Caminhar a passos de tartaruga entre os metrificadores gregos, com toda a minuciosidade e o pedantismo da miopia: eis aonde chegara! Vi-me compungido, demasiado emagrecido, meio morto de fome: as *realidades* faltavam nas minhas provisões científicas e os meus *idealismos* eram de quilate ínfimo. Requeimou-me uma sede ardente; desde então não me ocupei de outras coisas que não fossem a fisiologia, a medicina e as ciências naturais; também aos verdadeiros e ajustados estudos históricos só voltei quando a minha finalidade me obrigou a isso. Adivinhei então pela primeira vez a correlação que existe entre essa atividade, escolhida contra o meu instinto — uma presumida "vocação" para a qual não se tem, de forma alguma, inclinação —, e a necessidade de *adormecer* a sensação do vazio e da inanidade por meio de uma arte que sirva do narcótico, como por exemplo a arte de Wagner. Depois de ter olhado em redor de mim com a maior atenção, descobri que um grande número de jovens sofre do mesmo mal: uma violência à natureza *provoca necessariamente outra.* Na Alemanha, no Império, para sermos explícitos, são muitos, demasiados os condenados a tomar uma decisão prematura e a *fenecer* sob o peso de um fardo que não estão capacitados a suportar. São eles os que reclamam Wagner, como pediriam uma poção de ópio; esquecem-se, libertam-se de si mesmos por um vago instante... Que digo!, *durante cinco ou seis horas!*

4

Então, o meu espírito tomou a decisão inflexível de não ceder mais, não seguir além, não enganar-se a si mesmo! Qualquer modo de viver mesmo as situações mais precárias, as doenças e a miséria, tudo se me afigurava preferível a esse indigno "desleixo de mim mesmo" nas malhas do qual, primeiramente, caíra por ignorância e excesso de *juventude*, continuando por indolência e um incompreensível "sentimento do dever". Felizmente, em minha ajuda, com precisão e oportunidade admiráveis, veio aquela *deplorável* herança paterna, que, no fundo, não é mais do que uma predestinação a morrer jovem. Libertou-me a moléstia *lentamente*; poupou-me toda ruptura ab-rupta, qualquer lance violento e escabroso. Não perdi então a estima de ninguém; adquiri, pelo contrário, numerosas amizades.

A enfermidade deu-me, além disso, o direito de mudar completamente todos os meus hábitos; permitiu-me, *impôs-me* o esquecimento. Facultou-me também a regalia de gozar desse ócio, de esperar pacientemente... Mas isso quer dizer *pensar*! Os meus olhos se cerraram de uma vez à preocupação da *massa efervescente dos livros*: em teutão, com a filologia, passava a liberto do "livro". Então, anos seguidos, não li mais nada; foi esse o maior dos benefícios que logrei alcançar!

Aquele íntimo *eu*, semissepulto, quase reduzido a silêncio sob o peso de um contínuo *dever* olhar ao *eu* dos outros (e isso precisamente quer dizer ler!), ressurgia lentamente, tímido, vacilante, mas finalmente *falou de novo*! Nunca tive sorte maior, felicidade comparável à do período de minha vida em que estive todo tomado de achaques e doenças: basta um olhar no *Crepúsculo* ou no *O andarilho e sua sombra* para compreender o que era este "*regresso a mim mesmo*": uma forma superior de *cura*! A outra cura foi uma consequência dessa.

## 5

*Humano, demasiado humano,* este monumento de uma rigorosa disciplina individual, com que, bruscamente, pus fim a toda espécie de "delírio sagrado", de "idealismo", de "sentimentos nobres" e de outras fraquezas feminis, foi escrito, menos nas suas partes essenciais, em Sorrento; teve conclusão, a forma definitiva, em Basileia, durante um inverno, em condições bem mais desfavoráveis que a sorrentina.

No fundo, é o senhor *Peter Gast*, então estudante na Universidade de Basileia e muito meu afeiçoado, que tem na consciência a sua determinação. Ditava-o com a cabeça dolorida e toda envolta em compressas; ele o escrevia, corrigia-o, enfim: era o verdadeiro escritor enquanto eu não passava de autor. Quando, finalmente, tive entre as mãos o livro terminado — com grande admiração para um doente completo qual eu era —, enviei, entre outras coisas, dois exemplares também a Bayreuth. Por um milagre de inteligência ocasional, recebi ao mesmo tempo um belo exemplar do libreto do "Parsifal" com esta dedicatória de Wagner: "Ao seu prezado amigo Friedrich Nietzsche, com o mais forte testemunho de cordialidade. — *Richard Wagner*, conselheiro eclesiástico." Este cruzamento dos dois livros no caminho parecia anunciar-me algo de fatídico. Não era como que o retinir de duas espadas que se cruzavam violentamente? De qualquer forma que fosse, tivemos ambos a impressão disso, porque calamos. Por essa época apareceram os primeiros números do *Bayreuther Blätter*; compreendi então *por que* já havia soado a hora solene. Wagner — incrível! — se tornara piedoso.

6

Da maneira que então pensava (1876) acerca de mim mesmo, da segurança prodigiosa com que prezava a minha missão e da sua realidade histórica, é testemunha todo o livro, mas, sobretudo, uma passagem significativa dele: somente por uma astúcia instintiva em mim, evitei também aqui a palavra *eu* e esta vez, em lugar de Schopenhauer ou Wagner, irradiei uma glória que se tornará histórica, um amigo meu, o ótimo doutor Paulo Rée; mas, felizmente, era um animal demasiado final para cair em esparrelas... *Outros* foram mais falhos de inteligência: tenho mesmo entre os meus leitores casos desesperados — por exemplo o típico professor alemão —, reconhecíveis sempre pelo que, baseando-se naquela passagem, entendem dever julgar todo o livro como uma alta expressão de realismo. Em verdade, ele contradizia cinco ou seis afirmações do meu amigo: leia-se, nesse ponto, o prefácio da *Genealogia da moral*.

Eis aqui o trecho a que eu me referia:

> Qual é, pois, o resultado principal a que chegou um dos mais audazes e frios pensadores, o autor do livro *Da origem das sensações morais* (leia-se: Nietzsche, o primeiro *imoralista*), graças à análise incisiva e penetrante das ações humanas? O homem moral não se avizinha mais do mundo inteligível do que o homem físico, dado que não há um mundo inteligível.

Essa afirmação, tornada sólida sob os golpes de malho do conhecimento histórico (leia-se a *Inversão dos valores*), poderá talvez algum momento, no futuro — 1890! —, tornar-se o machado com o qual se investirá, pela raiz, "a necessidade metafísica" da humanidade, não sendo possível a ninguém saber se tal se dará em seu benefício ou em seu prejuízo. Mas, de qualquer forma, é essa uma afirmação passível de produzir gravíssimas consequências, ao mesmo tempo fecunda e tremenda, e dotada daquela *dupla vista* sobre as coisas do mundo, o que é imanente a todas as grandes ciências.

## Aurora
## (Pensamentos sobre a moral como preconceito)

### 1

Com esse livro começa a minha campanha contra a moral. Não que ele cheire a pólvora: mas, todavia, é fácil de sentir-se nele outros odores, muito mais agradáveis, principalmente por quem tenha a pituitária delicada. Artilharia estrepitosa, nenhuma, nem pequena nem grande: se o efeito do livro é negativo, os seus meios não o são de forma alguma; são, todavia, meios aos quais, como uma consequência lógica, se segue o efeito, mas *não* como um tiro de canhão. O fato de a leitura desse livro deixar certa desconfiança sombria em relação a tudo o que até agora tem sido cultuado e, portanto, adorado sob o nome de "Moral" não evidencia nenhuma contradição com a absoluta falta, que se nota em toda a obra, de negações, de assaltos, de malignidade; distendem-se nele, pelo contrário, debaixo do sol circular, feliz como um animal marinho que se aquece ao sol entre recifes.

No fundo, esse animal marítimo era eu mesmo: quase toda a frase contida nesse livro foi pensada, colhida enquanto eu capturava entre aqueles mil e um esconderijos desse caos de rochedos circunvizinhos de Gênova, sozinho, os segredos que eu tinha da comunhão que cultivava com o mar.

Ainda hoje, se por acaso me vem à mão esse livro, quase toda a sua frase é para mim a extremidade de uma linha que me guia quando procuro retirar da insondabilidade do abismo algo de incomparável; toda a sua epiderme de polpa treme com a doçura manifesta dessa recordação inefável.

Não é ínfima a arte que despendi em estacar apenas com um vislumbre passageiro, mas expressivo, de coisas fugidias, desfilantes sem o mínimo rumor, átomos que eu denomino lagartixas divinas:

detê-las em forma é sem dúvida uma arte, porque eu consigo pará-las sem usar da crueldade daquele jovem deus grego que, singelamente, picava as pobres lagartixas sempre com alguma coisa de ponta aguda, como o estilete.

"Há tantas auroras que ainda não resplandeceram." Essa inscrição *indiana* se encontra no umbral do meu livro. Onde o seu autor *procura* aquela nova alvorada, aquele rosado tenro não intuído, com o qual, ainda, começa o novo dia, ah! — onde encontrar toda uma série, um mundo feito de dias novos? Numa inversão de todas as expressões morais, certamente numa afirmação e na confiança de tudo aquilo que, no campo da crença, estava até agora proibido, desprezado, anatematizado! Esse livro, todo constituído de *afirmações*, expande a sua luz, o seu amor, a sua ternura sobre coisas em verdade cativas: restituindo-lhes a *alma*, a boa consciência: o alto direito e o *privilégio* de viver. A moral não é combatida com afoiteza, não é considerada extraordinariamente... Esse livro termina com um "Todavia?"; é o único livro que termina com um "Todavia?".

## 2

A minha missão consiste em preparar para a humanidade um momento de supremo retorno à consciência de si mesma, um *grande meio-dia* com o qual ela possa olhar para trás, bem longe de si, esquivando-se ao domínio da casualidade e dos padres, situando — pela primeira vez, o problema do "Por quê?" e do "Com que fim?" —, esse escopo é uma consequência necessária da convicção de que a humanidade *não caminha* por si mesma em linha reta, não é realmente governada pela providência divina, mas, pelo contrário, precisamente debaixo dos seus mais sagrados conceitos de valor se ocultou, imperando então o instinto de negação, o instinto da corrupção, o instinto da decadência.

A questão da origem dos valores morais é, portanto, para mim, uma questão de *primeira ordem*, porque dela depende o futuro da humanidade. A obrigação de *crer* que, no fundo, tudo está à mercê das melhores mãos, que um livro — a Bíblia — possa facultar uma segurança definitiva acerca do guia divino e sobre a sua sapiência em reger os destinos da humanidade, traduzida na linguagem da realidade, significa a vontade de não deixar vir à tona a verdade que demonstraria precisamente o contrário, isto é, que a humanidade, até agora, tem sido governada por gente vinda não se sabe donde, por astuciosos ávidos de vinditas, pelos chamados "santos", estando à mercê das piores mãos, dos violadores da sua essência e dos caluniadores do mundo. Isso demonstra, decididamente, que o padre — inclusos os padres *dissimulados*, os filósofos — é senhor não em uma determinada comunidade religiosa, mas por toda parte, e que a moral decadente, a vontade do fim, foi considerada como a moral por excelência, sendo esse o valor absoluto que se dá por toda parte ao ato não egoístico e à hostilidade com que se considerou o ato egoístico. Quem de mim discordar nesse ponto, considero-o um *infecto*. Mas todo o mundo dissente de mim...

Para o fisiólogo, semelhante contraste dos valores não dá lugar a dúvidas. Se em um organismo cessa determinado órgão, ainda que em medida mínima, deixando de ater-se com perfeita segurança à conservação de si mesmo, à recuperação das forças, ao seu "egoísmo", subentende-se uma degeneração do todo em conjunto. O fisiólogo exige a *amputação* da parte infectada, estando bem longe de sentir a piedade; mas o padre *quer* precisamente a degeneração do conjunto, da Humanidade: por isso *conserva* a parte doente, dominando-a a esse preço.

Que significado têm aqueles conceitos chocarreiros, aqueles conceitos *auxiliares* da moral, como "alma", "espírito", "livre-arbítrio", "deus", a não ser o de arruinar fisiologicamente a humanidade? Se se tolhe a seriedade à conservação de si mesmos, ao aumento de força corporal, *isto é*, *vital*, se da clorose se faz um Ideal, do desprezo do corpo a "saúde da alma", que se faz, senão preparar uma *receita* para a decadência?!

A perda do equilíbrio, a oposição aos instintos sexuais, numa palavra o "desmazelo de si mesmo", isto até agora se chamou "Moral". Com *Aurora* comecei a luta contra a moral da renúncia de si mesmo.

## A gaia ciência

*Aurora* é um livro que afirma, livro profundo, mas claro e bonançoso. *A gaia ciência* vale a mesma coisa, porém num grau bem superior.

Rara é a frase em que a profundidade e a jactância não se apertem a mão. Há ali uns versos que exprimem o meu reconhecimento pelo maravilhoso mês de janeiro, o mais admirável que tive a ventura de viver — todo o meu livro é um ofertório —, os quais demonstram claramente com que profundidade a ciência atingiu a sua *alegria*:

Ó tu que com a lança de fogo
rompes o gelo de minh'alma,
impelindo-a agora ao mar alto
das mais acariciadas esperanças
sempre mais claro e mais decidido,
livre na sua devotada Necessidade:
assim minh'alma celebra os teus milagres,
ó tu, belíssimo entre os meses de janeiro!

Quem duvidará do significado que têm as palavras "a mais alta esperança" se por acaso viu resplandecer, como fecho do quarto livro, a diamantina beleza das primeiras palavras do Zaratustra?...

Ou se, porventura, tenha lido as palavras graníticas do fim do terceiro livro, no qual, pela primeira vez, o destino se formulou para todos os tempos!...

As *Canções do príncipe Vogelfrei*, a maior parte compostas na Sicília, recordam intimamente a concepção provençal da *Gaia ciência*, aquela unidade de *poeta*, *cavaleiro* e *espírito livre* que distingue a maravilhosa e precoce civilização provençal de todas as culturas equívocas. A última poesia, especialmente, intitulada "Ao mistral", é uma canção bailadora, desenfreada, na qual — diga-se discretamente —, dentro do espírito provençal vemos uma dança no tablado da moral.

## Assim falava Zaratustra
## (Um livro para todos e para ninguém)

### 1

Contarei, agora, a história do *Zaratustra*. A concepção fundamental da obra, o pensamento do eterno regresso, esta fórmula de afirmação que é a mais alta que possa ser atingida, é de agosto de 1881: rascunhei-a num pedacinho de papel, com a seguinte nota: "A seis mil pés sobre o nível do homem e do tempo." Divagava, aquele dia, ao longo do lago de Silvaplana, em meio dos bosques: perto de um rochedo imponente que se erguia em pirâmide não longe de Surlei, estaquei. Ali, então, tive essa ideia.

Se volvo a vista alguns meses atrás daquele dia, encontro, como sinal precursor, mutação ab-rupta, e profundamente significativa dos meus gostos, sobretudo em matéria de música. Talvez o meu *Zaratustra* deva ser considerado como musical; certamente a regeneração da arte de *ouvir* não é uma premissa necessária. Em pequena estação balneária não longe de Vicenza, em Recoaro, onde passei a primavera de 1881, descobri juntamente com o meu mestre amigo Peter Gast — também ele um regenerado — que a música-fênix voava diante de nós com asas mais ligeiras, finas e brilhantes do que nunca. Se, porém, conto daquele dia em diante, até o advento ocorrido improvisadamente e em condições as mais inverossímeis em fevereiro de 1883 — a parte final, aquela da qual citei no "Prefácio" algumas frases, ficou terminada precisamente na hora sagrada em que Richard Wagner morria em Veneza —, resulta que decorreram 18 meses de gestação. Esse número de 18 meses poderia despertar a crença, pelo menos entre os budistas, de que eu fosse a fêmea de um elefante.

Ao período intermediário pertence a *Gaia ciência*, que já encerra cem indícios aproximativos de algo incomparável; enfim, contém ela o princípio do *Zaratustra* e no penúltimo capítulo do quarto livro se encontra o pensamento fundamental da obra. Todavia, é também desse tempo o *Hino à Vida* (para coro misto e orquestra), cuja partitura foi publicada há dois anos por E.W. Fritsch, de Leipzig: índice talvez de alguma importância sobre o meu estado de ânimo nesse ano em que a emoção afirmativa por excelência, por mim chamada emoção trágica, manifestava-se em mim num grau superlativo. Um dia, deverão cantá-lo em minha memória. O texto — noto-o expressamente porque circula um erro neste ponto — não é meu: é a inspiração maravilhosa de uma jovem russa da qual então eu era amigo, da senhorinha Lou von Salomé. Quem for capaz de encontrar um significado nas últimas palavras dessa poesia adivinhará por que a escolhi e admirei: há nela algo de grandioso. A dor não é para ela uma objeção à vida: "Se não tens mais nenhuma felicidade que me possas dar, pois bem: *resta-te ainda a dor*..." Talvez, também a minha música tenha neste ponto certa grandeza. (A última nota do oboé é um dó *díesis* não dó; é uma renúncia.)

Transcorri o inverno seguinte naquele ridente e silencioso seio de Rapalo, nas imediações de Gênova, local que se insinua entre Chiavari e o promontório de Portofino. A minha saúde não era ótima; o inverno, frio e extraordinariamente chuvoso; um pequeno albergue situado junto ao mar — tão pertinho, de forma que durante a noite a maré alta tornava impossível o sono — era quase em tudo e por tudo o contrário daquilo que se poderia desejar. Apesar disso, quase demonstrando o meu acerto de que toda coisa decisiva surge "não obstante" as circunstâncias, foi precisamente nesse inverno e nessas circunstâncias desfavoráveis que nasceu o meu *Zaratustra*. Pela manhã eu subia a esplêndida estrada que vai a Zoagli, ao longo da floresta, dominando toda a imensidade do mar; pela tarde, quando a minha saúde mo permitia, circundava todo o golfo de Santa Margherita, até além de Portofino. Esse local e essa paisagem se tornaram ainda mais caros ao meu coração pela grande e profunda predileção que lhes dispensara o imperador Friedrich III; no outono de 1886 eu me encontrava, casualmente, de novo naquela costa quando ele visitou pela última vez aquele olvidado recanto de felicidade. Foi desses passeios que surgiu a ideia inicial de todo o *Zaratustra* como tipo; ou, dizendo melhor, fui por ele *tomado de surpresa*...

## 2

Para compreender esse tipo é necessário antes de tudo ter um conhecimento exato da sua premissa fisiológica, que é aquilo que denomino a *grande saúde*. Eu não saberia explicar esse conceito, pessoalmente, com maior clareza de que me foi dado fazer num dos últimos parágrafos do quinto livro de *A gaia ciência*:

> Nós — diz-se ali —, homens novos, inominados, árduos na compreensão, precursores de um porvir ainda não demonstrado, temos

necessidade de novos meios para um escopo original, isto é, de uma nova saúde, mais exuberante, mais perspicaz, mais tenaz, mais temerária e mais serena do que até agora tem sido qualquer outra saúde.

Aquele cuja alma seja ávida de conhecer todos os valores que já existiram e todos os desejos até agora insatisfeitos, almejando explorar todas as costas deste "Mediterrâneo" ideal da vida, aquele que quer conhecer por meio das aventuras da própria experiência quais sejam os sentimentos de um conquistador e de um explorador ideal, nutrindo também o desejo de conhecer quais as sensações dum artista, dum santo, dum legislador, dum devoto, dum douto, dum adivinho, dum divino eremita do velho tronco: esse terá antes de tudo necessidade da *grande saúde*, duma saúde que não se possui, mas que se alcança sem tréguas, devendo-se conquistá-la, porque sem tréguas são esses sacrifícios que urgem outros sacrifícios! Agora, depois de termos percorrido tão longos caminhos, nós, os Argonautas do ideal, mais audazes, talvez, do que nos aconselha a prudência, frequentemente náufragos, porém mais sadios do que porventura se desejem, perigosamente como se fora recompensar um país desconhecido do qual até agora a ninguém foi dado observar as lindeiras, um *para lá* de todos os países, de todos os recessos do ideal até aqui conhecidos, um mundo tão rico de coisas belas, estranhas, dúbias, terríveis e divinas, que a nossa curiosidade e a nossa sede de posse ficaram perplexas! Pois bem! Quem agora, depois disso, estará apto a saciar-se! Como poderemos nós, após tantos espetáculos, com semelhante fome na consciência, e quejanda avidez científica, esperar ainda alguma satisfação dos *homens atuais*? É triste, mas inevitável: desconsideramos os seus fins e as suas esperanças mais dignas, a não ser com uma seriedade malrefreada, e provavelmente não os consideraremos jamais.

Outro ideal precede a esse, um ideal singular, tentador, cheio de perigos, um ideal que não desejamos recomendar a ninguém, porque não encontraremos quem possua reconhecido *direito* a esse ideal; essa é a ideologia de um espírito que ingenuamente, isto é, sem intenções e por exuberância de força e de potencialidade, brinca com tudo aquilo que até agora era tido como sagrado, bom, intangível, divino; ideal porque as mais elevadas coisas, que servem como que de equilíbrio ao povo, significariam já alguma coisa que se assemelha ao perigo, ao declínio, ao rebaixamento, ou melhor, à convalescença, à cegueira, ao esquecimento de si mesmo... Esse é o ideal de um bem-estar e de uma benignidade humanos — sobre-humanos, um ideal que muitas vezes parecerá desumano, por exemplo, quando se coloque em vizinho de tudo aquilo que até agora tem sido sério e terreno, vizinho a toda espécie de solenidade na atitude, na palavra, no som, na contemplação e na moral, como a sua vivida e involuntária paródia —, com a qual, apesar disso tudo "a grande seriedade apenas iniciado o verdadeiro problema resulta somente determinado, o destino da alma se transfigura, a agulha magnética oscila e a tragédia começa..."

3

Haverá alguém, no fim do século XIX, que tenha um conceito daquilo que os poetas das grandes épocas chamavam *inspiração*? Por pequeno que seja o restante de superstição que permanece em nós, seria difícil afastar a ideia de que somos apenas a encarnação, o porta-voz, os *médiuns* de potências superiores. O conceito da "revelação" no sentido que, improvisadamente, com segurança e finura indizíveis alguma coisa se torne *visível* e audível — alguma coisa que agita e subverte profundamente — é a simples expressão da verdade. Sente-se, não se procura; toma-se, não se indaga quem dá; como um relâmpago, reluz súbito um pensamento, necessariamente assim sem hesitações na forma; eu nunca tive necessidade de fazer uma escolha. É um encantamento durante o qual a enorme tensão do ânimo sente às vezes o alívio de uma torrente de lágrimas, e nossas passadas, involuntariamente, ora se apressam, ora se retardam; é ficar completamente fora de si mesmo, com a percepção distinta de uma infinidade de estremecimentos tênues e delicados que repercutem até na ponta dos dedos; uma felicidade profunda, na qual a dor e o horror não agem por meio de contraste, mas sim como partes integrantes que são indispensáveis, como uma nota de cor *necessária* neste oceano luminoso; um instinto do ritmo, que compreende todo um mundo de formas; a extensão, a necessidade de um ritmo *amplo* é, quase, a medida para a potencialidade da inspiração, uma espécie de compensação da sua opressão e tensão.

Tudo isso sucede de fato independentemente da nossa vontade, quase num torvelinho dos sentimentos de liberdade, de independência, de potestade, de divindade... O modo como a imagem, paralelamente, aqui se impõe — o que é de estranhar; não se tem mais nenhum conceito do que seja imagem, do que seja paralelo, e uma e outra se apresentam como a expressão mais cômoda, mais precisa, mais simples. Parece até, para recordar uma palavra do *Zaratustra*, que as coisas em si mesmas vêm de encontro entre elas, oferecendo-se a essa relação:

> Aqui todas as coisas acorrem, acariciantes, às duas expressões, adulando-te: querem elas cavalgar-te. A cavaleiro de todo símbolo tu cavalgas aqui para toda a verdade. Aqui se desmoronam todas as palavras e todos os tesouros de palavras do Verbo; todo Ser quer transformar-se em Verbo; todo Porvir quer aprender a falar com tuas palavras.

Esta é a *minha* experiência da inspiração: não duvido que se deva voltar atrás milhares de anos para encontrar alguém que possa dizer-me: “É também minha.”

## 4

Adoeci em Gênova, tendo guardado o leito numerosas semanas. Seguiu-se depois uma triste primavera, em Roma, onde aceitei a vida; e não me foi tarefa fácil. No fundo, esta cidade que é a menos adaptável da terra para o poeta de *Zaratustra* e que eu não tinha escolhido por minha vontade, apoquentou-me extraordinariamente; tentei libertar-me; desejava ir até Aquila, que representa a ideia contrária à de Roma e que se fundou por inimizade a Roma, precisamente como algum dia eu fundarei uma cidade em memória de um ateu e inimigo da Igreja "*comme il faut*", de um dos meus mais vinculados parentes, do grande imperador da casa de Hohenstaufen, Friedrich II. Mas havia uma fatalidade em tudo isso; tive de regressar. Contentei-me, enfim, com a praça Barberini, depois de ter-me cansado de procurar um local *anticristão*. Estive prestes a pedir certa vez — possivelmente para livrar-me de maus cheiros — ao Palácio Quirinal se não havia por acaso um quartinho tranquilo para um filósofo. Em uma *loggia* bem alta na *piazza* citada, donde se domina Roma e, embaixo, ouve-se o murmúrio da *Fontana*, foi composto aquele canto solitário entre quantos foram compostos, o *Canto Noturno*; por essa época envolvia o meu espírito a melodia melancólica e indizível cujo estribilho encontrei nas palavras: "Morto de imortalidade..."

Pelo verão, regressando a um lugar sagrado onde me resplandecera o primeiro pensamento de Zaratustra, comecei a compor a segunda parte. Dez dias bastaram; para nenhuma das outras partes, tanto a primeira, a terceira como a última, exigiram maior tempo. Durante o inverno seguinte, debaixo do céu alciônico de Nice, que então pela primeira vez resplandecia na minha vida, encontrei a imagem do terceiro Zaratustra; e terminei-o. Um ano apenas, tudo isso conglobado. Muitos recessos ocultos, muitas alturas silentes da paisagem de Nice são sagradas para mim devido a momentos indeléveis que eu ali passei;

a parte decisiva que a intitula "Velhas e novas tábuas" foi composta durante uma penosa ascensão, no decurso da estação, ao maravilhoso ninho encravado na rocha que é a aldeia de Eza; a agilidade muscular foi sempre tanto maior em mim quanto a força criadora mais fluentemente me inundou o espírito. O corpo é entusiasmo: não nos ocupemos da "alma"... Frequentemente, viram-me dançar. Naquela época, eu podia suportar, sem o mais leve cansaço, caminhadas pelos montes durante sete ou oito horas. Dormia bem, ria muito; gozava de vigor e de paciência perfeitos.

## 5

Abstração feita destes detalhes de dez dias; os anos da composição do *Zaratustra*, especialmente aqueles que se *seguiram*, foram para mim de uma angústia incomparável. Paga-se cara a imortalidade: morre-se muitas vezes enquanto se vive. Há alguma coisa que eu denomino "o ódio da Grandeza": tudo o que é grande, uma obra ou um fato, depois de terminado se volta imediatamente *contra* o seu autor. Precisamente porque foi o seu componedor, torna-se *débil*, não sendo capaz de suportar mais a sua obra, nem de olhá-la face a face... Ter atrás de si alguma coisa que nunca se desejou, alguma coisa com a qual se liga intimamente o nó do destino humano, sentindo todo o seu peso!... Quase se acaba esmagado... O "ódio" da Grandeza!

Coisa bem diversa é a bonança espantosa que reina ao redor de nós. A solidão se envolve de sete véus invioláveis; ninguém pode ir além. Vive-se entre os homens, saúda-se aos amigos: novo deserto, nenhum olhar nos dirige genuflexões de agradecimento. A diversidade idêntica constatei, em grau bem diverso, naqueles que me eram familiares; parece que nada ofende mais do que a brusca convicção das distâncias intuídas de improviso; os temperamentos *nobres*, que não sabem viver sem venerar são bem raros. Uma terceira sensação é a constituída pela absurda irritabilidade, da pele em relação às picadas insignificantes, uma espécie de impotência na defesa contra as coisas, por pequenas que sejam. Parece-me ela originária daquele enorme esbanjamento de todas as energias defensivas que é uma das condições de toda a ação *criadora*, ato esse resultante do mais recôndito, particular, íntimo e individual de cada ser. As pequenas faculdades defensivas são, dessa forma, libertadas, cumprindo-se uma inanição pela falência das energias. Devo dizer que se digere mal, desejando-se muito a imobilidade quando somos expostos às sensações gélidas, desenvolvendo-se em nós o instinto da desconfiança, o que em certos casos é simplesmente um erro etiológico. Encontrando-me certa vez em tal estado, senti que a presença de u'a manada de bois bastou para despertar em mim, de forma consciente, um retorno a pensamentos mais doces e humanos, mesmo antes que eu a visse: isso encerra em si uma sensação de calor...

6

Essa obra forma um conjunto à parte. Deixemos de lado os poetas: talvez nunca tenha sido criada alguma coisa com tal superabundância de forças. O meu conceito de "dionisíaco" tornou-se aqui *ato supremo*; confrontando-o com o restante da atividade humana esta se assemelha paupérrima e limitada. Que um Goethe, um Shakespeare não poderiam viver um momento nesta atmosfera de paixão imanente e em altura semelhante; que Dante, confrontado com Zaratustra, é apenas um crente e não um criador de verdades, um espírito *dominador*, um destino; que os poetas dos *Vedas* são padres indignos até de desatar os cordões das sandálias de Zaratustra — tudo isso não é suficiente para dar uma ideia da distância, da solidão *azulada* em que se situa essa obra.

Zaratustra tem o eterno direito de dizer: "Eu formo ao meu redor círculos e lindeiras sagrados; cada vez é mais exíguo o número dos que me acompanham na minha ascensão aos montes mais elevados; eu construo um maciço de píncaros cada vez mais sagrados." Imagine-se, conglobados, o espírito e a bondade de todas as almas: conjuntamente, seriam incapazes de produzir um só dos discursos de Zaratustra. É imensa a escada pela qual ele sobe e desce; foi também ele que viu mais longe, quis ir além e pôde atingir bem mais distante do que qualquer outro homem.

Este espírito, o mais afirmativo que existe, contradiz com qualquer palavra; nele, todas as contradições se aliam a uma humanidade completamente nova. As formas mais altas e as mais baixas da natureza humana, o que há de mais doce, de mais leve e de mais terrível jorra de uma só fonte com imortal segurança. Até agora não se sabe o que seja altura, o que seja profundidade: ainda menos se sabe o que seja verdade. Não há nem mesmo um átomo nesta revelação da verdade que já tenha sido previsto, adivinhado de alguém entre os maiores. Não há sabedoria, não há análise da alma, não há arte da palavra antes de Zaratustra; o que mais se avizinha de nós, o imaginado como vulgar, fala nesse livro de coisas inauditas. As sentenças fremem de paixão; a eloquência se tornou música; verdadeiros lampejos foram irradiados para iluminar um futuro ainda não eliminado. A mais poderosa força de imaginação que porventura tenha existido é coisa insignificante, é um simples brinquedinho, em confronto com este regresso da língua à natureza da imagem.

Vede como o Zaratustra desce da montanha para dizer a todos palavras de infinita bondade! Como ele toca delicadamente no *âmago* dos seus adversários, os sacerdotes e, com eles, sofre as suas contrariedades! Aqui, a cada instante, o homem é superado; o conceito de "super-homem" torna-se então a mais alta realidade; tudo aquilo que até agora tem sido grande no homem está a infinita distância *debaixo* dele... O caráter alciônico, os pés lépidos, a onipresença da maldade e do ímpeto, além de tudo o que é típico na criação de Zaratustra, não foi nunca sonhado como atributo essencial da grandeza. Zaratustra representa precisamente estes limites do espaço, esta acessibilidade às coisas mais contraditórias como *a mais elevada espécie de tudo o que existe*; e, se se quiser ouvir como ele a define, renuncie-se à procura de outro ser semelhante:

> ... a alma que possui a escada mais longa e pode descer mais a fundo;
>
> a alma mais vasta, aquela que mais do que qualquer outra, pode correr, divagar, remoinhar-se; a mais necessária, aquela que, por simples prazer, se precipita no Acaso;
>
> a alma que quer submergir-se no porvir; a alma que possui, que *quer penetrar* na vontade e no desejo;
>
> a alma que foge de si mesma e alcança-se no mais vasto dos páramos;
>
> a alma que mais ama a si mesma, na qual todas as coisas se elevam e descem, dotando-se de fluxo e de refluxo...

*Eis aí, precisamente, a ideia de "Dionisos".*

A esta mesma ideia se conduz uma consideração diversa. O lado psicológico no problema de Zaratustra é *atinar* como aquele que responde negativamente de modo tão inaudito e age negativamente, diante de tudo aquilo que até agora se afirmou, possa todavia ser o contrário de um espírito negativo; como um espírito leva consigo o peso do mais grave destino, duma finalidade fatal, possa todavia ser o mais lépido e longínquo (Zaratustra é um dançarino); de que modo aquele que possui a mais dura, a mais terrível visão da realidade, que tem o "pensamento mais profundo" não descubra todavia nisso a menor objeção contra a existência ou contra o eterno regresso desta última, e saiba, contudo, achar uma razão para *ser ele mesmo* a perene afirmação de todas as coisas: dizendo-se *sim* e *amém* até o infinito...

"Eu levo a todos os abismos a bênção das minhas afirmações..." *Mas este, ainda uma vez,* é o *conceito de "Dionisos"*.

## 7

Que língua usaria semelhante espírito quando falasse consigo mesmo? O *ditirambo.* Eu sou o inventor do ditirambo. Ouça-se como o Zaratustra fala consigo mesmo. *Antes de surgir o sol* (parte III), com uma felicidade esmeraldina, ressumada de ternura divinal; semelhante a esta não se encontra em ninguém antes de mim. Também a mais profunda melancolia em semelhantes Dionisos se torna um ditirambo; para prová-lo, quero citar o *Canto Noturno*, o imortal lamento daquele que por excesso de luz e de potencialidade, devido a sua natureza *solar*, está condenado a não amar.

É noite: agora falam mais fortemente todas as fontes borbulhantes. Também a minha alma é uma fonte borbulhante.

É noite: somente agora se fazem ouvir todas as canções dos amantes. E também a minha alma é canção de amante.

Há em mim qualquer coisa de indelével e de inapagável, que quer fazer-se ouvir.

Há em mim um desejo de amor que fala, por si mesmo, a linguagem do amor.

Eu sou luz; ah, fosse eu também noite!, mas esta é a solidão que me cinge de luz.

Ah: fosse eu sombrio e semelhante à noite: como sorveria seios de luz!

E abençoaria também vós, estrelinhas cintilantes, pirilampos celestiais! E seria bem-aventurado pelo dom da vossa luz.

Mas eu vivo na minha própria luz; sorvendo as chamas que brotam de mim.

Eu desconheço a felicidade de aceitar; e muitas vezes sonhei que roubar deve ser muito mais doce do que aceitar.

A minha pobreza consiste nisso: minha mão não se cansa nunca de dar: minha inveja é ver olhos que esperam e noites iluminadas pelo desejo.

Oh, desventura de todos aqueles que dão! Oh, obscurecimento do meu sol! Oh, cupidez do desejar! Oh, fome atroz na saciedade!

Eles tomam o que eu lhes dou: mas acaso estarei eu ainda em contato com a sua alma? Há um abismo entre o dar e o receber; e o abismo mais contraído e o mais difícil de transpor.

Um apetite nasceu da minha beleza: quisera fazer mal àqueles por quem resplandeço; desejaria despojar àqueles que cumulo de mimos: tal é em mim a ânsia de maldade.

Retirar a mão quando já outra mão se estende para ele, semelhante à cascata que, precipitando-se, contorce-se: tal é a minha sede de maldade.

Semelhante vingança é invenção de minha opulência: tais perfídias nascem da minha solidão.

A minha felicidade em dar se dissipa com a dádiva; a minha virtude cansou-se de si mesma pela sua abundância!

Quem doa sempre corre perigo de perder o pudor; quem distribui tem sempre mão e coração calejados pelo demasiado distribuir.

Os meus olhos não têm mais lágrimas para a vergonha dos suplicantes; a minha mão se tornou demasiado rude por sentir o frêmito das mãos cheias.

Donde vêm as lágrimas aos meus olhos e o calo ao meu coração? Oh, solidão de todos aqueles que dão! Oh, silêncio de todos aqueles que resplandecem!

Muitos sóis gravitam no espaço deserto: falam eles a tudo o que é obscuro, usando da sua luz; para comigo, emudecem.

Ah, esta é a inimizade da luz contra tudo o que resplandece: inclemente, prossegue na sua marcha.

Injusto no mais profundo do coração contra tudo aquilo que luz, frio para com os sóis, dessa forma, todo sol ergue o seu curso.

Como o furacão, os sóis prosseguem o seu caminho, seguem a sua vontade inexorável: tal é a sua frialdade.

Oh, somente vós, obscuros, noturnos, sois os criadores do calor da luz. Só vós sugais leite reconfortador dos úberes da luz!

Ah: ao redor de mim tudo é gelo, gelo que queima as minhas mãos! Oh, eu tenho uma sede que anela a vossa sede!

É noite: agora o meu desejo brota de mim como de uma fonte — o desejo de falar.

É noite: falam agora mais fortemente todas as fontes borbulhantes. E a minha alma também é uma fonte borbulhante.

É noite: acordam agora todas as canções dos amantes. E também a minha alma é uma canção amorosa.

## 8

Coisas idênticas a esta nunca foram escritas e *experimentadas*: assim sofre um Deus, um Dionisos. A resposta a tal ditirambo que celebra o isolamento do sol na lua seria Ariadne... Quem saberá, exceto eu, o que significa Ariadne? De todos estes enigmas ninguém até agora tivera a solução; duvido até que a alguém se tivessem deparado tais enigmas.

Zaratustra determina uma vez, com precisão, a sua finalidade — que é também a minha —, dado que não pode haver equívoco sobre o seu *significado*: é *afirmativo* até a justificação, até a redenção também de todo o passado.

Eu me encontro entre os homens como entre fragmentos do futuro, daquele futuro que me é dado entrever.

E a isso se inclinam toda a minha poesia, todos os meus esforços, com o fito de juntar, reunindo num todo aquilo que é fragmento, problema, acaso cruel.

Como eu suportaria o fato de ser homem, se o homem não fosse também poeta, solucionador de enigmas e salvador da casualidade?

Salvar o passado e mudar tudo *aquilo que era* em *aquilo que deveria ser*, somente isto seria para mim uma redenção.

Em outra passagem, Zaratustra determina com a maior precisão possível aquilo que, para ele, pode ser o *homem*; não um objeto de amor ou de piedade; Zaratustra dominou também o *grande asco* do homem: para ele, o homem é uma coisa informe, matéria-prima, uma pedra vermelha que necessita o cinzel do artífice.

Não *querer* mais, não *avaliar* mais, não *criar* mais; ah!, que esta enorme fadiga permaneça para sempre distante de mim.

Também no meu conhecimento sinto somente a alegria de gerar o porvir da minha vontade; e se na minha intuição existe algo de inocência, isso sucede porque ela encerra a *vontade geradora.*

Esta vontade me afastou de Deus e dos deuses; que se deveria pois criar se os deuses... existissem?

Esta minha ardente vontade de criar me impulsiona incessantemente para os homens; do mesmo modo, ela articula o malho sobre a pedra.

Ó homens, na pedra dorme, para mim, uma estátua, a estátua das estátuas! Ei-la! Deve ela dormir na pedra mais dura, na mais bruta das pedras!

*Agora, o meu martelo se enfurece cruelmente, golpeando contra as traves da prisão que a encerra.* Fragmentam-se, espalhando-se, lascas de pedra; que me importa isso!

Quero terminá-la, porque vem para mim uma sombra; a mais silente e leve de todas as coisas vem a mim.

A beleza do Super-Homem vem a mim como uma sombra; que me importam, agora... os deuses!...

Devo ressaltar ainda um último ponto de vista, prismando-me no verso sublineado, que é o facultador dessa ocasião. Por um propósito *dionisíaco*, a solidez do martelo, a *alegria própria da destruição,* são premissas absolutamente necessárias. O imperativo "sede rudes!", a profunda certeza de *que todos aqueles que criam são rudes*, constituem o verdadeiro sinal característico duma natureza dionisíaca.

## Além do bem e do mal
## (Prelúdio de uma filosofia do futuro)

### 1

As minhas finalidades para os anos seguintes estavam fixadas com a máxima precisão. Terminada a parte afirmativa do meu escopo, surgia agora a vez da meta negativa, quer na palavra, quer na ação: a aversão de todos os valores que tiveram curso até esse período, a grande guerra, a evocação de um dia decisivo. Compreende-se nesse período uma lenta pesquisa de temperamentos semelhantes ao meu, de individualidades que, transbordantes de energia, pudessem ajudar-me na *obra de destruição.* Desde então, todas as minhas obras são como anzóis: tenho a pretensão de entender melhor do que ninguém dessas coisas relativas a caniços... Se ninguém se deixou *iscar*, a culpa não é minha. *Faltavam os peixes...*

2

Essa obra (1886) é, na essência, uma *crítica da modernidade* — não excluídas ciências modernas, as artes modernas, e até a política moderna —, dando também indicações acerca de um tipo oposto, bem mais do que moderno, um tipo nobre, afirmativo.

Neste sentido, o livro é uma "*Escola do gentil-homem*", considerado tal conceito num sentido mais intelectual e mais *radical* do que até agora tem sido. É necessário ter coragem no corpo, ainda que simplesmente, para tolerar esta interpretação; é preciso não ter aprendido a conhecer o medo... Todas as coisas de que se ufana a nossa época são consideradas como em contradição com este tipo, quase "modos noviços": por exemplo, o famoso "objetivismo", a "compaixão pelos que sofrem", o "sentido histórico" com a sua submissão ao gosto exótico, com a sua banalidade diante dos *petits faits*, o "espírito científico".

Considerando que esse livro é posterior em publicação ao *Zaratustra*, adivinha-se talvez até o regime dietético a que deve a sua origem. Os olhos habituados por um imenso constrangimento a lançar um agudo olhar *longinquamente* — Zaratustra vê mais longe do que o Tsar —, vê-se forçado a lançar uma vista de olhos aguda às coisas circunvizinhas, ao mesmo tempo que às que se *encontram perto.* Em todos os detalhes e sobretudo na forma, deparar-se-á um idêntico e *voluntário* alheiamento dos instintos que tornaram possível a criação do Zaratustra. Nota-se a figura da forma, das intenções da arte de *calar*; a psicologia é ali tratada com crueldade e dureza preconcebidas; não há, em todo o livro, uma só palavra de bondade... Tudo isso repousa: quem poderia adivinhar, por fim, que gênero de repouso exige uma dissipação de vontade como a do *Zaratustra*? Teologicamente falando — atenção! porque não é comum ver-me falar como teólogo — foi deus mesmo que, terminado o seu trabalho e revestida a forma de serpente, pôs-se ao pé da ciência: dessa forma repousou do cansaço de ser deus. Fizera muito bem... O diabo não é mais que a ociosidade de deus a cada sete dias...

## A genealogia da moral
(Obra de polêmica)

As três dissertações que compõem esta "genealogia" são talvez, no que se refere à expressão, as intenções e a arte da surpresa, o que de mais inquietante até agora se escreveu. Dionisos é, bem o sabemos, também o deus das trevas. Todas as vezes que se começa há como que uma indução ao erro *necessariamente* fria, científica e até irônica, se por acaso a colocamos em relevo com intenção, levada avante com propositada finalidade. Pouco a pouco, cresce a agitação: aqui e acolá cintilam relâmpagos; de longe, certas verdades sobremodo desagradáveis se fazem sentir com um rumor surdo; finalmente, chega-se a um *tempo feroz* no qual toda coisa avança com uma formidável tensão. Em resumo, todas as vezes, entre detonações medonhas surge em meio de densas nuvens uma *nova* verdade.

A verdade da *primeira* dissertação é a psicologia do cristianismo: a origem do cristianismo no espírito do ressentimento e *não*, como se poderia crer geralmente, do "espírito"; por sua natureza, um movimento de reação, a grande sublevação contra o domínio dos valores nobres. A *segunda* dissertação apresenta a psicologia da *consciência*: a qual *não* é, como geralmente se crê, "a voz de deus no homem", mas sim um instinto da crueldade que, desde que não lhe é mais possível desabafar-se em si mesmo, retrocede. A crueldade aparece aqui pela primeira vez como um dos mais antigos e necessários fundamentos da civilização. A *terceira* dissertação resolve o problema da origem da imensa *potencialidade* do ideal asceta, do ideal do padre, não obstante ser esse o ideal anulador por excelência, uma aspiração ao fim, um ideal de decadência. Resposta: *não* porque, como geralmente se acredita, deus aja por trás do sacerdote, mas, *faute de mieux*, porque até agora tem sido o único ideal, não tendo concorrentes. "O homem prefere o Nada a *não* querer nada..." Sobretudo, faltava um *contraideal, até Zaratustra.*

Fui compreendido? Três importantes estudos preparatórios do psicólogo, em relação a uma transmutação de todos os valores. Esse livro contém a primeira psicologia do sacerdote.

## Crepúsculo dos ídolos
(Como se faz filosofia a golpes de martelo)

### 1

Esse livro, que não chega a 150 páginas, sereno e fatal no seu aspecto — um demônio que ri —, escrito em tão poucos dias que eu hesito até em dizer o número deles, é entre os livros uma verdadeira exceção: não há nada revolucionário, de tanta maldade. Quem quiser formar rapidamente uma ideia do modo como tudo estava às avessas antes do meu aparecimento, comece por esse livro. O que na capa se chama ídolo é simplesmente aquilo que até agora se chamava verdade. *Crepúsculo dos ídolos* quer dizer, em linguagem pobre: a verdade antiga se aproxima do seu fim...

2

Não há realidade, não há idealismos que não tenham sido tocados nesse livro. (*Tocados*: que prudente eufemismo!) Não só ídolos *eternos*, mas ainda os mais recentes e, consequentemente, os mais caducos: "as ideias modernas", por exemplo. Um forte vento sopra entre as árvores e em toda parte se vê cair por terra os frutos: Verdades.

Há nesse livro a prodigalidade benfazeja dum outono sobremodo fecundo: deparam-se-nos as verdades, sendo algumas até pisadas por nós: são demasiadas... Mas o que acabamos colhendo não tem já nada de problemático, porque são coisas precisas. Só eu tenho à mão a "medida" das "verdades"; portanto, só eu posso julgá-las. Como se houvesse despertado em mim uma *segunda consciência*, como se "a vontade" houvesse acendido em mim uma luz para clarear a espia nada *oblíqua* pela qual até então se deslizava ao precipício...

A esplanada oblíqua era chamada de caminho da "*verdade*"... Terminam aí as "incursões obscuras"; precisamente o homem *bom* tinha menor consciência do caminho reto que qualquer outro... E, digo-o com toda sinceridade, ninguém conhecia, antes de mim, o caminho reto, a orientação para o *alto:* somente comigo recomeçam as esperanças, as finalidades, os sendeiros traçados para a civilização; *eu sou o feliz mensageiro*... Precisamente por isso, sou também uma fatalidade...

## 3

Imediatamente depois de haver terminado essa obra sem perder sequer um dia, empreendi a formidável tarefa da *Transmutação*, animado por um sentimento soberano de orgulho incomparável, persuadido a todo instante da minha imortalidade, marcando sinal por sinal as palavras no bronze, com a plena segurança do fatalista. O prefácio foi escrito a 3 de setembro de 1888; quando eu, depois de havê-lo composto, saí pela manhã a um passeio, fruí o mais luminoso dia que a Alta Engadina me proporcionou, jornada transparente, fulgurante de colorido, repleta de todos os contrastes e de todas as vibrações existentes entre o gelo e o Meio-Dia. Deixei Sils-Maria somente a 20 de setembro, retido pelas inundações, tendo sido o único hóspede daquela admirável paragem à qual o meu reconhecimento quer fazer o mimo de um nome imortal. Depois de uma viagem repleta de incidentes, durante a qual corri até o perigo de afogar-me em Como inundada — ali cheguei alta noite —, alcancei, pela tarde de 21, Turim, a minha cidade *demonstrada*, que tem sido a minha residência desde então. Hospedei-me na mesma casa em que habitara na primavera — rua Carlos Alberto, 6, III, diante do palácio Carignano, no qual nasceu Vitor Emanuel — cujas janelas davam para a praça Carlos Alberto e, mais ao longe, as ridentes colinas.

Sem vacilar um momento, sem que nada me distraísse, recomecei a minha tarefa: restava-me ainda para terminar um quarto da obra. A 30 de setembro, grande vitória; sétimo dia, ociosidade de um deus nas margens do Pó. Nesse mesmo dia escrevi também o "Prefácio" do *Crepúsculo dos ídolos*, cuja correção de provas tipográficas me servira de distração durante o mês de setembro. Nunca passei um outono idêntico, nem mesmo imaginei que qualquer coisa de semelhante fosse possível na terra: um Claude Lorain levado ao infinito, crescendo paulatinamente, dia a dia, na sua infinita e indômita perfeição!

## O CASO WAGNER
(UM PROBLEMA MUSICAL)

### 1

Para fazer justiça a essa obra é necessário sofrer a fatalidade da música como se fora a dor de uma chaga aberta. *De que* sofro, quando padeço o destino da música? Ressinto-me de que a música tenha sido privada do seu caráter afirmativo e transfigurador do mundo, que se tenha tornado música de decadência, não sendo mais a flauta de Dionisos... Contudo, ainda que se admita a causa da música como uma causa *própria*, como a história dos *próprios* sofrimentos, reconhecer-se-á que essa obra é cheia de considerações e sobremodo indulgente. Em caso idêntico a este, ser alegre e rir chocarreiramente de si mesmo — "*ridendo dicere severum*" quando o "*verum dicere*" justificaria qualquer aspereza — é a própria "humanidade". Quem poderia, pois, duvidar que eu, sendo como sou um velho artilheiro, não esteja apto a disparar contra Wagner as baterias de maior calibre da minha artilharia. Tudo quanto há de decisivo neste assunto reservei-o para mim: eu estimei muito Wagner.

Em resumo, no fundo e no caminho que eu me impus, há um ataque contra um "desconhecido" mais sutil do que outros poderiam facilmente imaginar — sim! devo desmascarar outros tantos "desconhecidos" além deste Cagliostro da música —, sendo este, por assim dizer um ataque à nação alemã, que se torna cada vez mais ociosa, sempre mais pobre de instinto nas coisas do espírito, sempre mais *honesta*; essa nação que continua, com um apetite invejável, a nutrir-se das coisas mais contraditórias e traga "a fé" como o espírito científico, "o amor cristão" como o antissemitismo, a "vontade do domínio" (do "império") como *l'évangile des humbles*, sem nenhuma perturbação de digestão... Não decidir-se nunca por uma parte entre tantos contendores! Que neutralidade estomacal! Que desinteresse! Veja-se o sentido de justiça neste paladar *alemão* que dá iguais direitos a todos, que acha tudo *gostoso*... Sem dúvida alguma, os germânicos são idealistas... Quando eu estive a última vez na Alemanha, encontrei o gosto alemão preocupado em conceder idênticos direitos a Wagner e ao "Corneteiro de Sâkkingen". Eu mesmo fui testemunha das honras que se tributaram em Leipzig a um autêntico e germaníssimo mestre de música — alemão no velho significado da palavra e não um simples "alemão do Império" —, a Heinrich Schatz, fundando-se um Grêmio Liszt que tivesse por escopo o cultivo e a difusão da música sacra *artificial.* Indubitavelmente, os alemães são idealistas...

2

Chegando aqui ninguém me impedirá de tornar-me rude e de dizer aos alemães uma porção de verdades cruas: *de modo inverso, quem o faria?* Refiro-me ao seu impudor "*in historicis*". Não só os historiadores alemães perderam completamente a *larga visão* do caminho, dos valores culturais; não somente são uns palhaços da política (ou da Igreja); mas, acrescente-se, esta larga contemplação se situa fora de seu domínio, ficando *proscrita.* É necessário antes de tudo ser "germano", fazer parte da "raça"; depois se poderá deduzir acerca de todos os valores e não valores "*in historicis*", sendo possível determiná-lo... "Alemão" é um argumento; "a Alemanha, a Alemanha acima de tudo", um princípio; os germânicos são "a ordem moral" na história; em relação ao "*imperium romanum*", os depositários da liberdade; situando-os no século XVIII, os restauradores da moral, do "imperativo categórico"...

Frases desse jaez fazem-me perder a paciência e tenho vontade, sinto até o dever de dizer de vez aos alemães *tudo aquilo* que eles têm já na consciência. São eles responsáveis de todos os grandes delitos cometidos contra a cultura nestes quatro últimos séculos... E sempre pelo mesmo motivo: pela sua inata vilania diante da realidade, que é também aviltamento diante da verdade, devido à sua falta de sinceridade, que se tornou neles um instinto, por "idealismo"... Os alemães privaram a Europa dos frutos, dos significados do último grande período da Renascença num momento em que uma hierarquia superior de valores, em que valores nobres afirmavam a vida, garantiam o futuro, triunfavam no seu nobre posto sobre os valores contrários, *valores de decadência*; e triunfavam até nos instintos daqueles que se lhes deparavam... Lutero, este acidente fradesco, restabeleceu a Igreja e, o que é mil vezes pior, o cristianismo, precisamente no momento em que ele *sucumbia*. O cristianismo, *a negação da vontade de viver* tornada religião... Lutero, um frade impossível, que, em consequência de sua "impossibilidade", atacou a Igreja e consequentemente a restabeleceu... Os católicos deveriam celebrar festas em honra de Lutero, compondo mesmo comédias para a sua exaltação. "Lutero e a regeneração moral!" Vá para o diabo, como o *amém*, de toda a psicologia! Indubitavelmente, os alemães são idealistas.

Já por duas vezes, quando com imenso valor e com extraordinário esforço sobre si mesmo haviam atingido uma fórmula de pensar honesta, precisa, perfeitamente científica, os alemães souberam encontrar escapatórias para o antigo "ideal", conciliações entre a verdade e o "ideal", em suma, fórmulas que dessem direito a recusar a ciência, direito à *mentira*. Leibnitz e Kant: dois grandes entraves à honestidade intelectual da Europa!

Finalmente, quando em meio da ponte entre dois séculos de decadência surgiu uma "*force majeure*" de gênio e de vontade, bastante forte para fazer da Europa uma unidade política *econômica*, os alemães, com as suas "guerras de independência", impediram a Europa de sentir o verdadeiro significado, a maravilhosa realidade da existência de Napoleão. É por isso que eles têm na consciência a culpa de tudo o que ocorreu depois, do que atualmente acontece: a doença, a irracionalidade mais *oposta* à *cultura* — o nacionalismo, esta *névrose nationale* de que sofre a Europa, este prolongamento ao infinito da divisão da Europa em pequenos Estados de *politicazinha* de campanário, privaram a Europa até do seu próprio significado, da sua *razão*: conduziram-na a um beco sem saída. Quem, afora eu, conhece um *caminho* de saída neste arraial obscuro? Poder-se-á chegar a este escopo bastante vasto de *unir* novamente os povos?

3

Depois disto tudo, por que não deverei denunciar a minha suspeição? Também no meu caso os alemães farão novamente todo o possível para que de um formidável destino nasça um ratinho. Até agora se opuseram aos meus propósitos e duvido que, no futuro, procedam de modo diverso. Ah, como desejaria ser nisso *falso* profeta! Os meus leitores e ouvintes naturais são ora russos, ora escandinavos, ora franceses: se-lo-ão sempre? Os alemães estão representados na história do conhecimento somente por nomes equívocos; produziram sempre apenas "inconscientes" moedeiros falsos (este apodo calha admiravelmente para Fichte, Schelling, Schopenhauer, Hegel, Schleiermacher, bem como para Kant e para Leibnitz; todos eles são meros tecedores de véus); não terão eles nunca a honra de ver confusamente em um espírito alemão o primeiro *espírito reto* que surgiu na história do espírito, aquele no qual a verdade fará justiça pelos falsos moedeiros de quatro milênios.

O "espírito alemão" é, *para mim*, ar viciado: dificilmente respiro perto desta vermelhidão "*in psychologicis*" — tornada instinto — que é atraiçoada por toda palavra e por qualquer atitude de um germânico. Não atravessaram eles nunca um século XVII de exame severo de si mesmos, como os franceses; um La Rochefoucauld ou um Descartes são cem vezes superiores em lealdade aos maiores alemães; esses, até hoje, não tiveram um só psicólogo. Mas a psicologia é quase a sua medida da *pureza* ou *impureza* de uma raça... Como se poderá, sendo sujo, ser *profundo*? Com os alemães, bem como em relação às mulheres, nunca é possível chegar ao fundo: *não o possuem*, eis tudo! Por isso, não são nem mesmo superficiais. O que em alemão se denomina "profundo" é precisamente aquele rubor de instintos contra si mesmos de que estou falando: não se *quer* tornar clara a própria atitude. Poderei eu propor a palavra "alemão" como moeda internacional para exprimir esta depravação psicológica?

Neste momento, por exemplo, o imperador da Alemanha proclama o seu "dever de cristão", libertando escravos africanos: entre *nós outros* europeus isso se denominaria simplesmente "alemão". Os alemães teriam produzido um só livro que fosse profundo? Falta-lhes até o conceito do que seja profundeza em um livro. Conheci certos doutos que consideravam Kant profundo; na corte prussiana receio até que se considere profundo Von Treitschke. Se, por acaso, louvei Stendhal como profundo psicólogo, encontrei professores alemães que me fizeram soletrar esse nome...

4

Por que não deverei ir até o âmago do assunto? Apraz-me fazer figura decente... Ufana-me até de ser tido como o depreciador dos alemães "por excelência". A minha *desconfiança* para com o caráter alemão, exprimi-a aos 26 anos ("Terceira consideração intempestiva", pág. 71), para mim, os alemães têm algo de impossível. Quando pretendo imaginar um homem que repugne a todos os meus instintos, surge-me logo à mente um alemão. A primeira coisa que observo, quando perscruto um homem até a alma, é se ele possui o sentido da distância, se observa em tudo a posição, o grau, a hierarquia de homem a homem, se sabe *distinguir*: quem possui esses dotes é sem dúvida um "gentil-homem"; de modo diverso, daremos, sem esperança alguma, no vasto e, raios!, bonachão conceito de "*canaille*". Mas os alemães são "*canaille*" e (ah!) bonachões... Tratando com alemães, rebaixamo-nos; o alemão *emparelha a si os outros.* Prescindindo das minhas relações com alguns artistas, sobretudo com Richard Wagner, posso dizer que nunca passei uma única hora aproveitável ou aprazível entre alemães. Suponhamos que o espírito mais profundo de todos os séculos aparecesse entre os alemães; pois bem: um daqueles rudes salvadores do Capitólio acreditaria que a sua alma tosca tivesse pelo menos tanta importância como a desse espírito... Eu não posso suportar esta *raça* com a qual nos achamos sempre em má companhia, que não possui o tato dos matizes — pobre de mim! eu mesmo sou uma fumarada —, que não tem qualquer graça nos pés, não sabendo nem sequer caminhar... No fundo, os alemães não têm pés; possuem somente pernas.

Falta aos alemães a convicção da própria vulgaridade — o que é o cúmulo da vulgaridade —, *não se envergonham* nem mesmo de ser simples alemães. Querem dar opinião sobre tudo, tendo-se como decisivo; temo que decidiram algo acerca de mim... Toda a minha vida é a prova "*de rigueur*" destas afirmações. Procuro inutilmente uma prova de tato, de delicadeza para comigo. De judeus já as tive; de alemães ainda não. Por natureza, eu sou bom e amável para com todos; tenho o direito de não estabelecer diferenciações; isso não me impede de conservar os olhos sempre abertos. Não faço exceção para ninguém, muito menos em relação aos meus amigos; afinal de contas, espero que isso não tenha trazido prejuízo algum à minha "humanidade" para com eles. Há cinco ou seis coisas das quais sempre fiz uma questão de honra. Entretanto, a verdade é que quase todas as cartas que recebo de anos a esta parte me produzem o efeito de uma prova de cinismo: há mais cinismo em querer-me bem do que no ódio para com qualquer coisa... Eu digo na cara a todos os meus amigos que nunca se deram ao trabalho de *estudar* qualquer um dos meus livros; pelos mais leves indícios, adivinho que não sabem nem sequer do que trato nas suas páginas. Quanto ao *Zaratustra*, então, qual dos meus amigos teria visto nele alguma coisa a mais do que uma presunção ilícita, mas, por sorte, de todo inofensiva?

Dez anos são passados: e ninguém, na Alemanha, sentiu o dever de consciência, a necessidade de defender o meu nome do silêncio absurdo sob o qual estava sepulto: um estrangeiro, um dinamarquês, foi o primeiro que teve a finura instintiva e *coragem* suficiente para rebelar-se contra os meus chamados amigos... Em que universidade alemã se poderiam dar hoje lições sobre a minha filosofia, como aquelas que realizou na primavera passada, em Copenhague, o doutor Georg Brandes, que demonstrou desse modo, mais uma vez, a sua proficiência de psicólogo? Quanto a mim, nunca me molestei com tudo isso; o que é *necessário* não me ofende; *amor fati* — é esse, no íntimo, o meu temperamento. Isso não exclui, todavia, o meu apreço à ironia, à própria ironia universal. Foi assim que, a cerca de dois anos antes do raio destruidor da *Transmutação*, que convulsionará a terra, lancei aos quatro ventos do mundo o *Caso Wagner*: os alemães, mais uma vez, deveriam enganar-se acerca de mim e *imortalizar-se* com este engano! Tudo isso se realizou como um relâmpago!

Tiveram sucesso? Muito bem, caros senhores "germanos"! Recebam as minhas felicitações!...

# Por que sou uma fatalidade

## 1

Conheço o meu destino. Sei que algum dia o meu nome se aliará, em recordação, a algo de terrível, a uma crise como nunca ocorreu, à mais tremenda colisão de consciências, a uma sentença definitiva, pronunciada contra tudo aquilo que se acreditava, exigia e santificava até então. Eu não sou um homem: sou dinamite. E, não obstante tudo isso, não tenho rompantes de fundador de religiões: as religiões são coisas de gentalha: eu sinto a necessidade de lavar as mãos depois de ter tocado as de um homem religioso... Não quero "crentes"; acredito que sou demasiado mau para crer em mim mesmo; eu nunca falo às massas... Tenho grande medo de ser, algum dia, santificado; desse modo, compreenderão por que eu publico antes este livro: deve ele evitar que se abuse do meu nome... Não quero ser um santo: prefiro ser um palhaço... Talvez seja eu um palhaço... Todavia, ou talvez não todavia — porque até agora não há nada tão mentiroso quanto os santos —, eu falo a verdade. A minha verdade é *espantosa*, porque agora a mentira se denominou verdade. *Transmutação de todos os va-*

*lores*: eis a minha fórmula para um ato de suprema determinação de si mesmo na humanidade, ato que em mim se tornou carne e gênio. O meu destino exige que eu seja o primeiro homem honesto, que eu me sinta em oposição às mentiras de vários milênios...

Sozinho, fui eu o *descobridor* da verdade, porque fui o primeiro a sentir como tal a mentira... O meu gênio está nas minhas narinas. Polemizo como nunca se polemizou e, entretanto, sou o contrário de um espírito negativo.

Eu sou o *mensageiro feliz*: nunca houve outro; conheço destinos tão elevados que até agora nem sequer foi possível concebê-los; somente com o meu advento se reanimam as esperanças. Por isso, sou necessariamente também o homem fatal; porque, se a verdade entra em luta com a mentira milenária, haverá convulsões, terremotos, deslocações de montanhas e de vales, coisas que nunca se imaginaram nem mesmo em sonhos. Então, o conceito de política se absorverá todo em uma luta de espíritos e todas as formações potenciais da antiga sociedade irão para os ares, porque todas assentam na mentira: haverá guerras como nunca houve na terra. Somente depois de mim começará no mundo a *grande política.*

## 2

Quereis uma fórmula do destino que *se torna homem*? Encontra-se no meu Zaratustra:

> ... e quem quer ser um criador no bem e no mal deve, antes, ser um destruidor e romper valores.
>
> Dessa forma o supremo mal participa do supremo bem: mas este último é o criador.

Eu sou, há longo tempo, o homem mais terrível que possa existir; essa circunstância não exclui a faculdade de tornar-me o mais benéfico. Conheço a alegria da *destruição* em grau comparável unicamente à minha *força* destruidora; e para uma e outra obedeço ao meu temperamento dionisíaco que não separa a ação negativa do pensamento afirmativo. Eu sou o primeiro *imoralista*: por isso, sou também o *destruidor* por excelência.

3

Ninguém me perguntou — e deveriam ter-me perguntado — o que significa na minha boca, nos lábios do primeiro imoralista, o nome de Zaratustra; tudo o que constitui a personalidade, tão original na história, daquele persa, resulta precisamente o contrário do que o meu é. Zaratustra foi o primeiro a ver na luta entre o bem e o mal a verdadeira rotação no movimento mecânico das coisas: a transposição da moral na metafísica, como força, causa e objeto em si, é obra *sua.* Mas esta pergunta seria, no fundo, já uma resposta. Zaratustra *criou* este erro fatalíssimo: a moral; precisamente por isso, deve ser o primeiro a *reconhecê-lo.* Possui ele não somente, sob este aspecto, maior e mais longa experiência do que qualquer outro pensador — dado que toda a história é a confutação experimental da afirmativa da denominada "ordem moral" —, mas o mais importante é que Zaratustra é mais verídico que qualquer outro pensador. A sua doutrina, somente a sua, exemplifica, como suprema virtude, a veracidade: isto é o oposto da *covardia* dos "idealistas" que fugiram diante da realidade; Zaratustra tem mais coragem corpórea que todos os pensadores tomados em conjunto. Dizer a verdade é lançar com precisão absoluta as flechas — eis a virtude persa.

Compreenderam-me?... A vitória da moral sobre si mesma, pela veracidade; a vitória do moralista sobre si mesmo, para atingir o seu adversário — *a mim* —, eis a significação do nome de Zaratustra partida de minha boca.

## 4

No fundo, são duas as negações que encerra em si a minha palavra *imoralidade.* De um lado, eu nego um tipo de homem que até agora tem sido considerado como superior: o dos *bons*, dos *benévolos*, dos *caridosos*; de outro, contradigo uma espécie de moral que chegou a adquirir certa preponderância, chamada mais claramente a moral decadente, a moral cristã. Poder-se-ia considerar a segunda negação como a mais decisiva, dado que a demasiada estima para com a bondade, a benevolência, para expressar-me com precisão, parece uma consequência da decadência, incompatível portanto com uma vida que se eleva e afirma: na afirmação, negar e *destruir* constituem uma condição essencial.

Detenho-me, primeiramente, na psicologia do homem bom. Para aquilatar o valor de determinado tipo de homem é necessário calcular primeiramente quanto custa a sua conservação, precisamos conhecer as suas condições de vida. A condição de existência do homem é a *mentira*: de forma diversa, seria não *querer* ver de modo recalcitrante como é feita, no fundo, a realidade. Esta não é tecida de forma a estimular a todo momento os instintos de benevolência, nem muito menos de maneira a permitir em qualquer ocasião a ingerência de mãos estúpidas e boas. Considerar as calamidades de todo gênero como alguma coisa que é necessária *suprimir* é a "*niaiserie par excellence*", é, olhando as coisas do alto, uma imensa estupidez, tão grande quanto seria a pretensão de suprimir o mau tempo por ter *pena da pobreza*... A grande economia do conjunto, o que há de mais terrível na realidade (nas paixões, nos desejos, na vontade de querer) é infinitamente mais necessário do que aquela modalidade da pequena felicidade comumente chamada "bondade": antes, para conceder um lugar qualquer a esta última — que tem como premissa a mentira dos instintos — é necessário ser fundamentalmente indulgente.

Terei uma ótima ocasião para demonstrar as consequências extraordinariamente inquietadoras para toda a história do otimismo, desta criação dos *homines optimi*. Zaratustra, que foi o primeiro a compreender que o otimista é tão decadente quanto o pessimista, e talvez mais nocivo do que este, disse: "Os homens bons nunca dizem a verdade. Os homens bons ensinam artes falsas, cortesias falsas; nascestes e aconchegásteis-vos na mentira dos bondosos."

Afortunadamente, o mundo não está construído sobre os instintos, de modo que precisamente apenas o "asno" de rebanho possa encontrar nele a sua felicidadezinha; exigir que toda coisa se tornasse "homem bom", animal de aprisco, benevolente, dotado de olhos azuis, "bela alma" e (como deseja o senhor Herbert Spencer) altruísta, significaria tolher à existência o seu grande caráter, redundaria na castração da humanidade, que ficaria reduzida a um mísero trambolho. E *tentou-se fazê-lo*!... E *chamou-se precisamente a isso "moral"*!... Neste sentido, Zaratustra chama os bons, ora "os últimos homens", ora o "começo do fim"; considera-os ele sobretudo como *a mais perigosa espécie de homens,* porque vivem tanto a expensas da *verdade* quanto a cargo do *futuro.*

Os bons não podem criar; são sempre começo do fim.

Crucificam eles aquele que escreve valores novos sobre novas tábuas; sacrificam a si mesmos o futuro, crucificando todo o porvir dos homens!

Os bons foram sempre o começo do fim...

Sejam quais forem os danos causados pelos caluniadores do mundo, o *dano causado pelos bons* é o mais *danoso dos danos.*

5

Zaratustra, o primeiro psicólogo dos bons, é, consequentemente, um amigo dos maus. Se uma espécie decadente pode ser considerada como a mais alta estirpe da humanidade, isso só pode redundar em dano da espécie oposta, a dos homens fortes e conscientes da vida. Se o animal de aprisco resplandece na luz da virtude mais pura, é necessário que o homem-exceção seja desprezado até o Mal. Se para eles a mentira quer a todo custo ocultar-se sob a palavra "verdade", será necessário descobrir o que é realmente verossímil debaixo de nomes piores. Zaratustra não deixa nenhuma dúvida acerca desse propósito: afirma ele que foi efetivamente o conhecimento dos bons, dos "ótimos", que lhe inspirou o terror do homem em geral: que precisamente esta repugnância alentara o crescimento de suas asas, conduzindo-o "para adiante, no longínquo futuro". Não esconde ele o seu tipo de homem, um tipo relativamente sobre-humano, é super-homem precisamente no confronto com os *bons*, e que os bons e os justos chamariam o seu super-homem um *diabo...*

Ó vós, homens sumos que ao meu olhar vos deparais, esta é a minha dúvida em relação a vós; isto faz-me rir por dentro: eu penso que vós chamaríeis o meu super-homem — um diabo! Sois de tal forma estranhos à Grandeza, na vossa alma, que para vós o super-homem seria terrível na sua vontade...

É este ponto, e nenhum outro, que se deve tomar como ponto de partida na compreensão daquilo que deseja Zaratustra: a espécie de homem que ele intui na realidade *tal como se apresenta*: sente-se bem forte para fazê-lo. Tal realidade não é estranha, não se afasta da verdade; é a *verdade*; tem ela, ainda, em si, o que há de terrível e de problemático: *só assim o homem pode ter algo de grandeza...*

6

Ainda em outro sentido eu discerni a palavra imoralista como distintivo e insígnia honoríficos: ufano-me de ser portador desse nome que me coloca em relevo diante de toda a humanidade. Ninguém ouviu ainda a moral cristã *debaixo* de si: por isso, era necessário uma culminância, uma vastidão de horizontes, uma profundeza inaudita. A moral cristã foi até agora a Circe de todos os pensadores: estavam eles ao seu serviço. Quem antes de mim desceu às profundezas cavernais de que emanam os gases venenosos daquela espécie de Ideal que é a *calúnia do mundo*?

Quem ousou sequer duvidar que existissem cavernas? E, generalizando, que filósofo, antes de mim, foi *psicólogo* e não precisamente o contrário: "um grande charlatão", "um idealista"? Antes de mim não havia psicologia de espécie alguma. Ser o primeiro neste ponto pode ser maldição; de qualquer forma, é uma fatalidade: *porque sois depreciado precisamente por serdes o primeiro...* A repugnância do homem — eis o meu perigo.

7

Compreenderam-me? O que me separa, o que me aparta de todo o resto da humanidade, é o fato de ter *descoberto* a moral cristã. Por isso, era-me necessária uma palavra que tivesse o significado de um desafio lançado a todos. Não ter aberto antes os olhos sobre este ponto parece-me a mais grave culpa que o homem tenha na consciência, um engano para consigo mesmo tornado instintivo, uma vontade fundamental de não ver nenhum fato consumado, nenhuma causa, nenhuma realidade — nenhum falseamento *in psychologicis* levado até o delito. A cegueira diante do cristianismo é o delito por *excelência*, o delito *contra a vida*...

Séculos e mais séculos, os povos, os Primitivos e os Últimos, os filósofos e o mulherio — abstração feita de cinco ou seis momentos históricos e de minha pessoa, como sétimo — neste ponto são dignos uns dos outros. Até agora o cristianismo era "o ser moral", uma curiosidade incomparável, e, *como* "ser moral", mais absurdo, soberbo, frívolo, *nocivo a si mesmo,* do que poderia ser imaginado pelo maior depreciador da humanidade. A moral cristã é a forma mais maligna da vontade da mentira, a verdadeira Circe da humanidade, aquela que foi a causadora de sua *ruína.*

Não é o erro, como tal, que me atemoriza à sua vista, *nem* a milenária falta de "boa vontade", de disciplina, de decoro, de valor em relação às coisas do espírito, que é atraiçoada pela sua vitória: mas é a ausência de personalidade, o fato medonho de que a própria *antinatureza* possuísse como moral as mais altas honrarias e ficasse apensa aos homens como lei, como imperativo categórico... Equivocar-se nesse particular *não* como indivíduo, isoladamente, *não* como povo, mas sim como humanidade!... Ensinou-se o desprezo dos principais instintos da vida; inventou-se *chocarreiramente* uma "alma", um "espírito" para destruir o corpo; ensinou-se a pesquisar algo de impuro na premissa da vida, na sexualidade; procurou-se na mais profunda necessidade da prosperidade, no *severo* amor de si mesmo (a própria palavra já é caluniosa!), o mau princípio; e precisamente em sentido contrário, na base típica da degenerescência e da contradição dos instintos, na perda do equilíbrio e da personalidade, no "amor do próximo" (mania do próximo!) se descobre um valor *mais alto* — que digo! —, o *valor por excelência*!...

E que mais? A própria humanidade estaria em decadência? Tê-lo-ia estado sempre? Isso é certo, se é que se *aditaram* valores de decadência como valores superiores. A moral da renúncia de si mesmo é a moral por excelência, é a constatação de fato: "arruíno-me", traduzido no imperativo: "deveis arruinar-vos todos", e não apenas no imperativo!... Esta é a única moral até agora ensaiada, a moral do desprezo de si mesmo; trai ela a vontade do fim e nega a vida desde a sua origem primeva.

Restaria aqui campo aberto a uma possibilidade: isto é, que a humanidade inteira não está em decadência, mas somente aquela espécie parasitária do homem — os *sacerdotes* — que com a moral se erigiu em árbitro dos valores, encontrando na moral cristã um meio mais apto para atingir o *poderio*. Na realidade, é esta a minha convicção: os mestres, os condutores da humanidade, todos eles teólogos, foram também outros tantos decadentes: *daí* a conversão de todos os valores numa inimizade da vida, resultando *disso* a moral... *Definição* da moral: "A moral é a idiossincrasia do decadente com a intenção oculta de vingar-se da vida, sempre com um bom resultado final." Atenho-me a esta definição.

8

Fui compreendido? Não tenho dito nenhuma palavra que já não a tivesse proclamado, faz cinco anos, pela boca de Zaratustra. A *descoberta* da moral cristã é um acontecimento incomparável, uma verdadeira catástrofe. O que a ilumina é uma "*force majeure*", "uma fatalidade"; explana ele a história da humanidade em duas partes. Vive-se *antes* dele, vive-se *depois* dele... O raio da verdade fulminou precisamente o que até agora se situava nas culminâncias: quem compreender que coisa ali foi destruída veja o que lhe resta ainda entre as mãos. Tudo isso que até agora tinha o nome de "verdade" foi reconhecido como a mais nefasta, a mais pérfida, a mais diabólica forma de balela; o santo pretexto de "melhorar a humanidade" se salienta como uma astúcia para sangrar a própria vida, tornando-a anêmica. A moral usada como *vampirismo*... Quem descobriu ao mesmo tempo o valor negativo de todos os valores que se creem como tal ou que assim foram cridos; nos tipos de homens mais venerados, até naqueles que foram canonizados como *santos*, nada mais ele vê de venerável; vê aí somente a mais fatal espécie de abortos: *fatal porque eles fascinam*...

O conceito de "Deus" foi arquitetado como antítese ao de "vida", tendo sido reunido nele, em terrível unidade, tudo o que havia de abjeto, de venenoso, de calunioso: todo o ódio mortal contra a vida. O conceito do "além", do "mundo verdadeiro", foi criado para desprezo do único mundo que existe, para não conservar mais em relação à nossa realidade terrena qualquer escopo, determinada razão ou alguma finalidade! Os conceitos de "alma", "espírito" e, enfim, também aquele de "alma imortal" foram inventados para ensinar o desprezo do corpo, tornando-o doentio — isto é, "santo" — para opor a todas as coisas que merecem ser tratadas com seriedade na vida (aos problemas da nutrição, da habitação, do dietário espiritual, da assistência aos doentes, do asseio, do tempo) uma inenarrável superficialidade! Trocar a saúde pela "salvação da alma" significa *folie circulaire*, situada entre as convulsões da penitência e o histerismo da redenção!

O conceito de "culpa" foi inventado conjuntamente com o instrumento torturante que o completa; o conceito de "livre-arbítrio", para confundir os instintos, para fazer da prevenção contra os instintos uma segunda natureza! No conceito de "altruísmo", de "renúncia de si mesmo" há verdadeiros signos de decadência: *ser atraído* pelo que causa prejuízo, *não poder* encontrar o que lhe seja útil, a destruição de si mesmo elevada à "virtude", ao "dever", à "santidade", à "divindade" no homem! Finalmente — e isto é o mais atroz — no conceito de "homem bom" se exalta tudo o que é débil, doentio, tudo o que, enfim, deve *desaparecer*! A lei da *seleção* foi crucificada pela oposição contra o homem altivo e são, contra o homem que afirma, contra o homem convicto, antemural do futuro, artífice do Ideal; este homem, doravante, será tido por mau... — E tudo isso foi aceito, *em nome da Moral*! — "*Écrasez l'infâme!*"

9

Fui porventura compreendido? — *Dionisos ante o Crucifixo...*

# Sobre o autor

Nascido em 1844 no seio de uma família protestante, Friedrich Wilhelm Nietzsche teve sua educação muito influenciada por essa doutrina. Desde pequeno já era conhecido como "o pequeno pastor", apelido que refletia o aluno exemplar e obediente que foi.

Na adolescência, no entanto, Nietzsche entra em contato com os escritos de Schiller, Hölderlin e Byron, leituras que o afastaram do cristianismo, além dos clássicos Platão e Ésquilo, também decisivos na formação filosófica do jovem e no distanciamento da teologia.

Pouco antes de se tornar professor de filologia na Universidade da Basileia, aos 24 anos, Nietzsche lê *Do mundo como vontade e representação* (1818), de Schopenhauer, e conhece o compositor alemão Wagner, cuja obra provoca grande efeito no filósofo. A partir daí, a música e a tragédia grega passam a ser temas recorrentes da produção intelectual de Nietzsche, culminando na sua primeira publicação, *O nascimento da tragédia* (1872).

Como parte de sua vida errante, em 1870, Nietzsche foi enfermeiro voluntário na Guerra Franco-Prussiana (1870-1871), experiência dolorosa, que — com os problemas de saúde que o deixariam sem voz nove anos depois — serve de matéria-prima para *Assim falava Zaratustra* (1883), *Ecce homo* (1888) e *O anticristo* (1888).

Em 1890, Nietzsche tem um surto de loucura de origem incerta, que o acompanhou até sua morte, em 25 de agosto de 1900, na cidade alemã de Weimar.

Direção geral
*Antônio Araújo*

Direção editorial
*Daniele Cajueiro*

Editora responsável
*Ana Carla Sousa*

Produção editorial
*Adriana Torres*
*Zaira Mahmud*

Revisão
*Fátima Fadel*

Projeto gráfico e diagramação
*Futura*

Capa
*Maquinaria Studio*

Imagem da capa
*Ullstein Bild - GettyImages*

Este livro foi impresso em 2019, para a Nova Fronteira.

H

Z

E

N

E

Z

H